상위권으로 학습지

응용
연산

E4
초5 ~ 초6

분수와 소수의 혼합 계산

Creative to Math
씨투엠

응용연산 : 상위권으로 가는 문제해결 연산 학습지

요즘 아이들은 초등학교 입학 전에 연산 문제집 한 권 정도는 풀어본 경험이 있습니다. 어릴 때부터 연산 문제를 많이 풀었기 때문에 아이들은 아직 학교에서 배우지 않은 계산 문제를 슥슥 풀어서 부모님들을 흐뭇하게 만들기도 합니다. 그런데 아이들의 연산 능력은 날로 높아지지만 수학 실력은 과거에 비해 그다지 늘지 않은 것 같습니다. 사실 진짜 수학 실력은 연산 문제나 사고력 수학 문제를 주로 푸는 초등 저학년 때는 잘 드러나지 않습니다. 응용 문제를 본격적으로 풀기 시작하는 초등 3, 4학년이 되어서야 아이의 수학 실력을 판별할 수 있습니다.

초등 수학에서 연산이 가장 중요한 것은 부정할 수 없는 사실입니다. 중학생, 고등학생이 되어서 부족한 연산 능력을 키우는 것은 거의 불가능합니다. 이러한 연산의 특수성 때문에 아이들은 어린 나이부터 연산을 반복적으로 연습하여 실력을 키우려고 합니다. 이렇게 열심히 연산을 공부하는데도 왜 어떤 아이들은 수학 문제를 잘 풀지 못하는 것일까요? 그 이유는 현재 연산 학습의 목적이 단지 '계산을 잘 하는 것'이 되어버렸기 때문입니다. 연산은 연산 자체가 목적이 될 수 없으며 수학의 진짜 목표인 문제를 잘 풀기 위한 수단으로 연산을 학습해야 합니다.

과거 초등 수학 교과서의 연산 단원은 ① 원리와 연습 ② 문장제 활용의 단순한 구성이었습니다만 요즘의 교과서는 많이 달라졌습니다. 원리와 연습은 그대로이거나 조금 줄었지만 연산을 응용하는 방식은 좀 더 다양해졌습니다. 계산 능력의 향상만을 꾀하는 것이 아니라 여러 가지 퍼즐이나 수학적 상황 등을 해결할 수 있는 '응용력'에 초점을 맞추고 있다는 것을 보여주는 변화입니다. 따라서 저희는 연산 학습지도 원리나 연습 위주에서 벗어나 실제 문제를 해결할 수 있는 능력에 포인트를 맞추어야 한다고 생각합니다.

'연산은 잘 하는데 수학 문제는 왜 못 풀까요?'에 대한 대답이자 대안으로 저희는 「응용연산」이라는 새로운 컨셉의 연산 학습지를 만들었습니다. 연산 원리를 이해하고 연습하는 것에 그치지 않고, 익힌 것을 활용하는 방법을 바로 보여줄 수 있어야 아이들이 수학 문제에 연산을 효과적으로 적용할 수 있습니다. 연습은 꼭 필요한 만큼만 하고, 더 중요한 응용 문제에 바로 도전함으로써 연산과 문제 해결이 단절되지 않게 하는 것이 「응용연산」에서 기대하는 가장 큰 목표입니다.

「응용연산」을 통해 아이들이 왜 연산을 해야 하는지 스스로 느낄 수 있을 것이라 자신합니다. 이제 연산은 '원리'나 '연습'이 아닌 스스로 문제를 해결할 수 있는 '응용력'입니다.

응용연산의 구성과 특징

- 매일 부담없이 4쪽씩 연산 학습
- 매주 4일간 단계별 연산 학습과 응용 문제를 통한 연산 실력 확인
- 매주 1일 형성평가로 테스트 및 복습

주차별 구성

원리연산
대표 문제를 통해 학습하는 매일 새로운 단계별 연산 학습

응용연산
기본 문제와 응용 문제를 통한 응용력과 문제해결력 증진

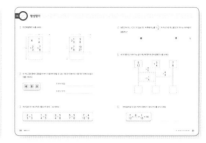

형성평가
가장 중요한 유형을 다시 한번 복습하며 주차 학습 마무리

1주차	1일	2일	3일	4일	5일
	6쪽 ~ 9쪽	10쪽 ~ 13쪽	14쪽 ~ 17쪽	18쪽 ~21쪽	22쪽 ~ 24쪽

2주차	1일	2일	3일	4일	5일
	26쪽 ~ 29쪽	30쪽 ~ 33쪽	34쪽 ~ 37쪽	38쪽 ~ 41쪽	42쪽 ~ 44쪽

3주차	1일	2일	3일	4일	5일
	46쪽 ~ 49쪽	50쪽 ~ 53쪽	54쪽 ~ 57쪽	58쪽 ~61쪽	62쪽 ~ 64쪽

4주차	1일	2일	3일	4일	5일
	66쪽 ~ 69쪽	70쪽 ~ 73쪽	74쪽 ~ 77쪽	78쪽 ~81쪽	82쪽 ~ 84쪽

정답 및 해설

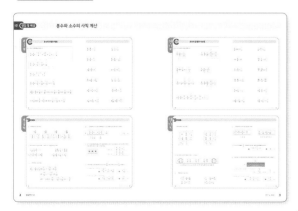

문제와 답을 한눈에 볼 수 있습니다.

이 책의 차례

1주차

분수와 소수의
사칙 계산

분수의 덧셈, 뺄셈, 곱셈, 나눗셈과
소수의 곱셈, 나눗셈 알아보기

분수의 덧셈과 뺄셈

개념
원리

분수의 덧셈과 **뺄셈**을 알아봅시다.

$$\frac{7}{8}+\frac{3}{8}=\frac{\boxed{7}+\boxed{3}}{8}=\frac{\cancel{\boxed{10}}^{5}}{\cancel{8}_{4}}=\frac{\boxed{5}}{4}=\boxed{1}\,\frac{\boxed{1}}{4}$$

분모가 같은 분수의 덧셈과 뺄셈은 분모는 그대로 두고 분자끼리 계산합니다.
이때 계산 결과는 약분하여 기약분수로 나타내고, 가분수이면 대분수로 나타냅니다.

$$\frac{5}{6}-\frac{1}{4}=\frac{\boxed{10}}{12}-\frac{\boxed{3}}{12}=\frac{\boxed{7}}{12}$$

분모가 다른 분수의 덧셈과 뺄셈은 통분하여 분모를 같게 만들어 계산합니다.

$$\frac{6}{7}-\frac{2}{7}=\frac{\boxed{}-\boxed{}}{7}=\frac{\boxed{}}{7}$$

$$\frac{2}{3}+\frac{3}{5}=\frac{\boxed{}}{15}+\frac{\boxed{}}{15}=\frac{\boxed{}}{15}=\boxed{}\,\frac{\boxed{}}{15}$$

$$2\,\frac{5}{8}+1\,\frac{3}{4}=2\,\frac{\boxed{}}{8}+1\,\frac{\boxed{}}{8}=(2+1)+\left(\frac{\boxed{}}{8}+\frac{\boxed{}}{8}\right)=3\,\frac{\boxed{}}{8}=4\,\frac{\boxed{}}{8}$$

$$7-5\,\frac{1}{3}=6+\frac{\boxed{}}{3}-5\,\frac{1}{3}=(6-5)+\left(\frac{\boxed{}}{3}-\frac{\boxed{}}{3}\right)=\boxed{}\,\frac{\boxed{}}{3}$$

$\dfrac{4}{9}+\dfrac{8}{9}$

$\dfrac{7}{12}-\dfrac{1}{3}$

$\dfrac{2}{3}-\dfrac{2}{5}$

$\dfrac{3}{4}+\dfrac{9}{10}$

$2\dfrac{5}{6}+\dfrac{2}{3}$

$4-1\dfrac{4}{5}$

$\dfrac{2}{7}+4\dfrac{3}{8}$

$\dfrac{11}{15}-\dfrac{7}{10}$

$4\dfrac{5}{6}-2\dfrac{1}{4}$

$1\dfrac{2}{3}+3\dfrac{4}{7}$

$3\dfrac{1}{6}+5\dfrac{5}{14}$

$6\dfrac{11}{24}-2\dfrac{8}{9}$

1 빈칸에 알맞은 수를 쓰세요.

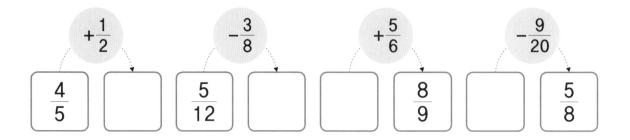

2 계산 결과의 크기를 비교하여 ○ 안에 >, =, <를 알맞게 넣으세요.

$$\frac{1}{3} + \frac{5}{7} \bigcirc 1 \qquad\qquad \frac{9}{10} - \frac{1}{4} \bigcirc \frac{3}{4}$$

$$1\frac{3}{4} + 3\frac{2}{3} \bigcirc 5\frac{5}{6} \qquad\qquad 4\frac{3}{8} - 2\frac{1}{10} \bigcirc 2\frac{1}{2}$$

3 ☐ 안에 알맞은 수를 쓰세요.

$$3\frac{1}{3} - 1\frac{5}{6} + 2\frac{1}{4} = 3\frac{\boxed{}}{12} - 1\frac{\boxed{}}{12} + 2\frac{\boxed{}}{12}$$

$$= 2\frac{\boxed{}}{12} - 1\frac{\boxed{}}{12} + 2\frac{\boxed{}}{12}$$

$$= (2 - 1 + 2) + (\frac{\boxed{}}{12} - \frac{\boxed{}}{12} + \frac{\boxed{}}{12}) = \boxed{}\frac{\boxed{}}{4}$$

4 ☐ 안에 들어갈 수 있는 분수 중에서 분자가 **1**인 단위분수는 모두 몇 개인지 구하세요.

_____ 개

5 수 카드 **3**장 중에서 **2**장을 한 번씩 사용하여 만들 수 있는 가장 큰 진분수와 가장 작은 진분수의 합과 차를 구하려고 합니다. 식을 쓰고 계산하세요.

두 분수의 합: _____

두 분수의 차: _____

6 나무 막대를 두 도막으로 잘랐더니 한 도막은 $2\dfrac{5}{8}$ m이고, 다른 한 도막은 $1\dfrac{7}{10}$ m였습니다.

나무 막대를 자르기 전의 길이는 몇 m일까요?

식 _____ 답 _____ m

긴 도막은 짧은 도막보다 몇 m 더 길까요?

식 _____ 답 _____ m

분수의 곱셈과 나눗셈

분수의 곱셈과 나눗셈을 알아봅시다.

$$\frac{\boxed{1}}{\frac{2}{5}} \times \frac{3}{\underset{\boxed{4}}{8}} = \frac{\boxed{3}}{\boxed{20}}$$

먼저 약분한 후 분자는 분자끼리, 분모는 분모끼리 곱합니다.

$$\frac{7}{10} \div \frac{3}{4} = \frac{7}{\underset{\boxed{5}}{10}} \times \frac{\overset{\boxed{2}}{4}}{3} = \frac{\boxed{14}}{\boxed{15}}$$

분수의 곱셈으로 나타낸 후 계산 과정에서 약분이 되면 약분을 먼저 하고 계산합니다.

$$\frac{3}{8} \times 6 = \frac{\boxed{}}{4} = \boxed{}\frac{\boxed{}}{\boxed{}}$$

$$\frac{\overset{\boxed{}}{7}}{9} \times \frac{4}{21} = \frac{\boxed{}}{\boxed{}}$$

$$\frac{3}{14} \times 1\frac{1}{6} = \frac{3}{\underset{\boxed{}}{\cancel{14}}^{\boxed{}}} \times \frac{\cancel{}^{\boxed{}}}{\underset{\boxed{}}{\cancel{6}}} = \frac{\boxed{}}{4}$$

$$\frac{5}{12} \div \frac{5}{6} = \frac{5}{12} \times \frac{\cancel{}^{\boxed{}}}{\underset{\boxed{}}{\cancel{}}} = \frac{\boxed{}}{\boxed{}}$$

$$2\frac{2}{3} \div \frac{4}{5} = \frac{\boxed{}}{3} \div \frac{4}{5} = \frac{\cancel{}^{\boxed{}}}{\underset{\boxed{}}{3}} \times \frac{\boxed{}}{\boxed{}} = \frac{\boxed{}}{\boxed{}} = \boxed{}\frac{\boxed{}}{\boxed{}}$$

$\dfrac{2}{9} \times 24$

$\dfrac{1}{6} \times \dfrac{3}{7}$

$18 \div \dfrac{3}{5}$

$\dfrac{15}{4} \div \dfrac{1}{6}$

$\dfrac{4}{11} \times \dfrac{5}{12}$

$\dfrac{18}{7} \div \dfrac{16}{21}$

$\dfrac{14}{15} \div \dfrac{8}{27}$

$\dfrac{20}{21} \times \dfrac{9}{14}$

$\dfrac{3}{4} \times 3\dfrac{1}{3}$

$4\dfrac{2}{9} \div \dfrac{2}{3}$

$2\dfrac{4}{9} \times 1\dfrac{11}{16}$

$5\dfrac{5}{6} \div 3\dfrac{1}{3}$

1 빈칸에 알맞은 수를 쓰세요.

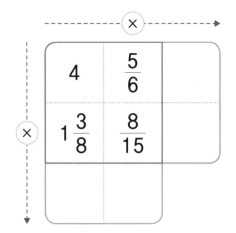

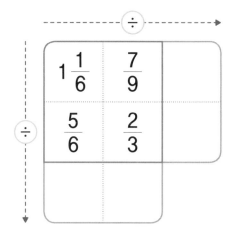

2 계산 결과가 **1**보다 큰 것을 모두 찾아 ◯표 하세요.

$$\frac{7}{8} \div \frac{4}{5} \qquad \frac{1}{6} \div \frac{5}{6} \qquad \frac{4}{9} \div \frac{4}{7} \qquad \frac{3}{10} \div \frac{8}{15} \qquad \frac{4}{5} \div \frac{5}{7}$$

3 ☐ 안에 알맞은 수를 쓰세요.

$$\boxed{} \times \frac{3}{8} = \frac{21}{30} \qquad\qquad \boxed{} \div \frac{7}{12} = 3\frac{9}{14}$$

4 ☐ 안에 들어갈 수 있는 자연수를 모두 쓰세요.

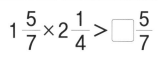

$$1\frac{5}{7} \times 2\frac{1}{4} > \boxed{}\frac{5}{7}$$

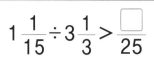

$$1\frac{1}{15} \div 3\frac{1}{3} > \frac{\boxed{}}{25}$$

_____

_____

5 민수는 하루에 물을 $1\frac{1}{4}$ L씩 마십니다. 물 10 L를 마시려면 며칠이 걸릴까요?

식 _____   답 _____ 일

6 다음과 같은 직사각형 모양의 땅을 가로를 똑같이 넷으로 나누었고, 세로를 똑같이 셋으로 나누었습니다.

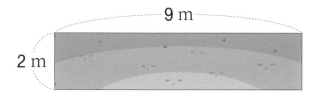

9 m

2 m

나누어진 한 칸의 가로와 세로는 각각 몇 m인지 분수로 쓰세요.

가로: _____ m, 세로: _____ m

한 칸의 넓이는 몇 m²인지 구하세요.

식 _____   답 _____ m²

세 분수의 곱셈과 나눗셈

개념
원리

세 분수의 곱셈과 나눗셈을 알아봅시다.

$$\frac{\overset{1}{\cancel{5}}}{\underset{4}{\cancel{8}}} \times \frac{\overset{3}{\cancel{6}}}{7} \times \frac{9}{\underset{2}{\cancel{10}}} = \frac{\boxed{1} \times \boxed{3} \times 9}{\boxed{4} \times 7 \times \boxed{2}} = \frac{\boxed{27}}{\boxed{56}}$$

먼저 약분한 후 분자는 분자끼리, 분모는 분모끼리 모두 곱합니다.

$$\frac{8}{11} \times \frac{3}{4} \div \frac{9}{13} = \frac{8}{11} \times \frac{\overset{1}{\cancel{3}}}{\underset{1}{\cancel{4}}} \times \frac{13}{\underset{3}{\cancel{9}}} = \frac{\boxed{2} \times \boxed{1} \times 13}{11 \times \boxed{1} \times \boxed{3}} = \frac{\boxed{26}}{\boxed{33}}$$

나눗셈은 분수의 곱셈으로 나타낸 후 계산 과정에서 약분이 되면 약분을 먼저 하고 계산합니다.

$$\frac{\overset{\boxed{}}{\cancel{7}}}{\underset{\boxed{}}{12}} \times \frac{5}{\underset{\boxed{}}{21}} \times \frac{\overset{\boxed{}}{8}}{9} = \frac{\boxed{} \times 5 \times \boxed{}}{\boxed{} \times \boxed{} \times 9} = \frac{\boxed{}}{\boxed{}}$$

$$\frac{2}{3} \div \frac{5}{9} \times \frac{7}{8} = \frac{2}{3} \times \frac{\overset{\boxed{}}{\underset{\boxed{}}{9}}}{5} \times \frac{\overset{\boxed{}}{7}}{8} = \frac{\boxed{} \times \boxed{} \times 7}{\boxed{} \times 5 \times \boxed{}} = \frac{\boxed{}}{\boxed{}} = \boxed{} \frac{\boxed{}}{\boxed{}}$$

$$\frac{3}{5} \times 2\frac{3}{4} \div 3\frac{3}{8} = \frac{3}{5} \times \frac{\overset{\boxed{}}{\boxed{}}}{\underset{\boxed{}}{4}} \times \frac{\overset{\boxed{}}{\cancel{8}}}{\cancel{\boxed{}}} = \frac{\boxed{} \times \boxed{} \times 2}{5 \times \boxed{} \times \boxed{}} = \frac{\boxed{}}{\boxed{}}$$

$$\frac{8}{9} \times \frac{3}{5} \times \frac{5}{16}$$

$$\frac{2}{3} \times \frac{6}{7} \times \frac{21}{40}$$

$$\frac{5}{8} \div \frac{5}{4} \times \frac{4}{7}$$

$$\frac{1}{4} \times \frac{3}{7} \div \frac{9}{10}$$

$$\frac{7}{15} \times \frac{3}{4} \times 5$$

$$\frac{7}{8} \div \frac{5}{3} \times \frac{14}{15}$$

$$3\frac{1}{3} \times 12 \times \frac{7}{8}$$

$$\frac{5}{7} \div 1\frac{11}{14} \div 2\frac{2}{5}$$

$$\frac{9}{10} \times 3\frac{1}{3} \div \frac{1}{4}$$

$$\frac{9}{16} \times 1\frac{1}{2} \times \frac{4}{9}$$

$$6 \div 2\frac{1}{7} \times 3\frac{1}{8}$$

$$2\frac{1}{4} \div 2\frac{2}{5} \div \frac{3}{10}$$

1 사다리를 타고 내려가는 길의 계산에 맞게 빈칸에 알맞은 수를 쓰세요.

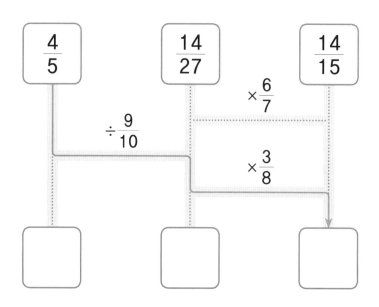

2 계산 결과가 작은 것부터 차례로 기호를 쓰세요.

⊙ $\dfrac{4}{7}$

⊙ $\dfrac{4}{7} \times \dfrac{3}{4}$

ⓒ $\dfrac{4}{7} \times \dfrac{3}{4} \times \dfrac{5}{9}$

㉢ $\dfrac{4}{7} \times 1\dfrac{2}{5}$

㉤ $\dfrac{4}{7} \times 1\dfrac{2}{5} \times 2\dfrac{2}{9}$

3 ☐ 안에 들어갈 수 있는 자연수 중 1보다 큰 수를 모두 쓰세요.

$$\dfrac{9}{16} \times \dfrac{2}{3} < \dfrac{1}{\square} \times 2$$

4 수 카드를 한 번씩 사용하여 **3**개의 진분수를 만들어 곱할 때 가장 작은 곱은 얼마일까요?

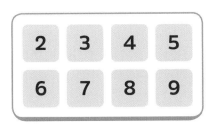

_____

5 굵기가 일정한 밧줄 $\dfrac{3}{8}$ m의 무게가 $\dfrac{5}{12}$ kg입니다.

밧줄 **1** m의 무게는 얼마인지 구하세요.

식 _____   답 _____ kg

밧줄 $2\dfrac{1}{4}$ m의 무게는 얼마인지 구하세요.

식 _____   답 _____ kg

6 어느 초등학교 전체 학생 수의 $\dfrac{3}{8}$ 이 **5**학년입니다. **5**학년 중에서 $\dfrac{5}{12}$ 가 남학생이고 그중에서 $\dfrac{6}{25}$ 이 안경을 썼습니다. 안경을 쓴 **5**학년 남학생은 전체 학생의 몇 분의 몇일까요?

식 _____   답 _____

소수의 곱셈과 나눗셈

개념
원리

소수의 곱셈과 나눗셈을 알아봅시다.

```
      1 . 4 3
  ×     2 . 1
  ─────────────
      1 4 3
    2 8 6
  ─────────────
    3 . 0 0 3
```

```
              5 . 7
  1.4 ) 7 . 9 8
          7 0
      ─────────
            9 8
            9 8
      ─────────
              0
```

곱의 소수점 아래 자릿수는 곱하는 두 소수의 소수점 아래 자릿수를 더한 값과 같습니다.

나누는 수가 자연수가 되도록 나누어지는 수와 나누는 수의 소수점을 똑같이 오른쪽으로 한 자리씩 옮겨서 세로셈으로 계산합니다.

```
    3 . 2
  × 1 . 6
  ─────────
  ─────────
  ─────────
```

```
    4 . 0 7
  ×     5 . 4
  ───────────
  ───────────
  ───────────
```

```
3.2 ) 8 . 9 6

  ─────────

  ─────────
          0
```

```
0.26 ) 0 . 4 1 6

  ─────────

  ─────────
            0
```

0.8×7

17×0.2

0.3×0.9

$24 \div 0.6$

$4.5 \div 0.5$

$19.2 \div 0.8$

$$\begin{array}{r} 4.3 \\ \times\, 2.7 \\ \hline \end{array}$$

$$\begin{array}{r} 9.06 \\ \times\quad 4.5 \\ \hline \end{array}$$

$$\begin{array}{r} 7.19 \\ \times\, 2.32 \\ \hline \end{array}$$

$7.42\,)\overline{\,4\,0.8\,1\,}$

$1.8\,)\overline{\,7\,6.1\,4\,}$

$2.54\,)\overline{\,9.3\,9\,8\,}$

1 계산 결과를 찾아 선으로 이으세요.

13.5×2.3	3.105	3.84÷1.6	0.24
135×0.023	0.3105	0.384÷1.6	2.4
0.135×2.3	31.05	3.84÷0.16	24

2 계산 결과의 크기를 비교하여 ○ 안에 >, =, <를 알맞게 넣으세요.

$3.5×5.8$ ◯ $5.8×3.7$ $5.48÷0.4$ ◯ $5.17÷0.4$

$2.46÷0.82$ ◯ $2.46÷0.75$ $4×0.25$ ◯ $4÷0.25$

3 다음과 같이 소수의 나눗셈을 분수의 나눗셈으로 바꾸어 계산해 보세요.

방법1 $1.74÷0.3=\dfrac{17.4}{10}÷\dfrac{3}{10}=17.4÷3=5.8$

방법2 $1.74÷0.3=\dfrac{174}{100}÷\dfrac{30}{100}=174÷30=5.8$

방법1 $3.22÷1.4=$

방법2 $3.22÷1.4=$

4 곱과 몫을 반올림하여 소수 둘째 자리까지 구하세요.

6.23×0.6   0.86×0.18

0.16÷0.3   9÷2.1

5 굵기가 일정한 파이프 70 cm의 무게를 달아보니 5.8 kg이었습니다. 이 파이프 1m의 무게는 몇 kg인지 반올림하여 소수 첫째 자리까지 구하세요.

 _____   _____ kg

6 어떤 수를 1.2로 나누어야 하는데 잘못하여 곱했더니 37.44가 되었습니다. 바르게 계산하면 얼마 일까요?

_____

1 빈칸에 알맞은 수를 쓰세요.

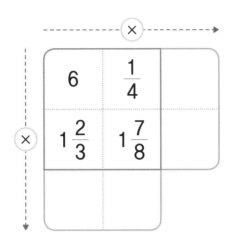

2 수 카드 **3**장 중에서 **2**장을 한 번씩 사용하여 만들 수 있는 가장 큰 진분수와 가장 작은 진분수의 합과 차를 구하려고 합니다. 식을 쓰고 계산하세요.

| 6 | 2 | 5 |

두 분수의 합: _____

두 분수의 차: _____

3 계산 결과가 **1**보다 작은 것을 모두 찾아 ◯표 하세요.

$$\frac{2}{3} \div \frac{1}{3} \qquad \frac{1}{4} \div \frac{3}{5} \qquad \frac{3}{4} \div \frac{5}{8} \qquad \frac{5}{7} \div \frac{5}{6} \qquad \frac{7}{12} \div \frac{4}{9}$$

4 냉장고에 주스 12 L가 있습니다. 하루에 주스를 $1\frac{1}{3}$ L씩 마신다면 주스를 모두 마시는 데 며칠이 걸릴까요?

식 _____ **답** _____ 일

5 사다리를 타고 내려가는 길의 계산에 맞게 빈칸에 알맞은 수를 쓰세요.

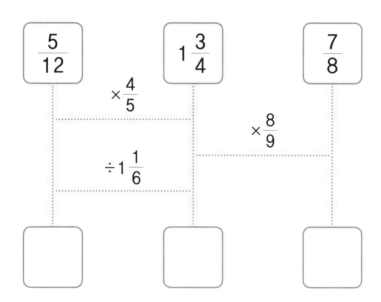

6 ☐ 안에 들어갈 수 있는 자연수 중에서 1보다 큰 수를 모두 쓰세요.

$$\frac{7}{12} \times \frac{8}{\square} > \frac{1}{15} \times 14$$

_____

7 주어진 곱을 이용하여 ☐ 안에 알맞은 수를 쓰세요.

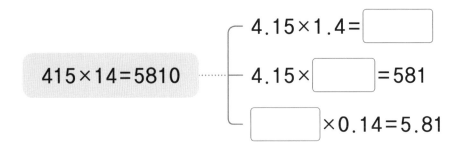

$415 \times 14 = 5810$

$4.15 \times 1.4 = \boxed{}$

$4.15 \times \boxed{} = 581$

$\boxed{} \times 0.14 = 5.81$

8 곱과 몫을 반올림하여 소수 둘째 자리까지 구하세요.

0.213×0.4

4.8×0.31

$2.82 \div 0.9$

$6 \div 1.1$

9 어떤 수를 2.5로 나누어야 하는데 잘못하여 곱했더니 10이 되었습니다. 바르게 계산하면 얼마일까요?

2주차

분수와 소수가 섞인 사칙 계산

분수와 소수로 이루어진 두 수의
사칙 계산 알아보기

분수와 소수가 섞인 덧셈, 뺄셈

개념
원리

분수와 소수가 섞인 덧셈, 뺄셈을 계산해 봅시다.

[방법 1] $1\dfrac{4}{5}+2.9=\boxed{1}.\boxed{8}+2.9=\boxed{4}.\boxed{7}$

분수 $1\dfrac{4}{5}$ 를 소수로 고쳐서 계산합니다.

[방법 2] $1\dfrac{4}{5}+2.9=1\dfrac{4}{5}+\boxed{2}\dfrac{\boxed{9}}{10}=(1+\boxed{2})+(\dfrac{4}{5}+\dfrac{\boxed{9}}{10})$

$=\boxed{3}+(\dfrac{\boxed{8}}{10}+\dfrac{\boxed{9}}{10})=\boxed{4}\dfrac{\boxed{7}}{10}$

소수 2.9를 분수로 고쳐서 계산합니다.

[방법 1] $4.7-1\dfrac{1}{2}=4.7-\boxed{}.\boxed{}=\boxed{}.\boxed{}$

[방법 2] $4.7-1\dfrac{1}{2}=\boxed{}\dfrac{\boxed{}}{10}-1\dfrac{1}{2}=(\boxed{}-1)+(\dfrac{\boxed{}}{10}-\dfrac{1}{2})$

$=\boxed{}+(\dfrac{\boxed{}}{10}-\dfrac{\boxed{}}{10})=\boxed{}\dfrac{\boxed{}}{10}=\boxed{}\dfrac{\boxed{}}{\boxed{}}$

[방법 1] $3\dfrac{1}{4}+1.65=\boxed{}.\boxed{}\boxed{}+1.65=\boxed{}.\boxed{}$

[방법 2] $3\dfrac{1}{4}+1.65=3\dfrac{1}{4}+\boxed{}\dfrac{\boxed{}}{100}=(3+\boxed{})+(\dfrac{1}{4}+\dfrac{\boxed{}}{100})$

$=\boxed{}+(\dfrac{\boxed{}}{100}+\dfrac{\boxed{}}{100})=\boxed{}\dfrac{\boxed{}}{100}=\boxed{}\dfrac{\boxed{}}{\boxed{}}$

$4.5 + \dfrac{1}{2}$

분수 또는 소수로 고쳐서 계산해 보세요.

$2\dfrac{4}{5} - 1.7$

$\dfrac{2}{5} + 1.05$

$5\dfrac{1}{8} - 1.25$

$3.25 + 2\dfrac{9}{10}$

$\dfrac{2}{3} + 0.4$

$5.06 - 1\dfrac{17}{20}$

$2\dfrac{3}{4} - 0.64$

$1.8 + 1\dfrac{5}{9}$

$1.5 + 1\dfrac{9}{25}$

$6\dfrac{7}{8} - 1.38$

1 분수의 덧셈과 뺄셈을 하여 빈칸에 알맞은 수를 쓰세요

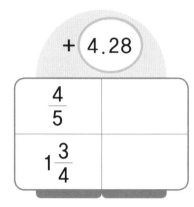

$+ \boxed{4.28}$

$\dfrac{4}{5}$	
$1\dfrac{3}{4}$	

$- \boxed{\dfrac{1}{3}}$

0.4	
2.5	

2 계산 결과가 왼쪽 수보다 큰 것에 모두 ◯표 하세요.

5 ········· $\left| \quad 3.9 + \dfrac{8}{5} \quad \vdots \quad \dfrac{25}{4} - 1.3 \quad \vdots \quad \dfrac{18}{12} + 3.7 \quad \vdots \quad 8.2 - \dfrac{7}{2} \quad \right|$

$\dfrac{17}{2}$ ········· $\left| \quad 5.6 + \dfrac{21}{8} \quad \vdots \quad \dfrac{97}{10} - 1.02 \quad \vdots \quad 10 - \dfrac{5}{3} \quad \vdots \quad \dfrac{21}{5} + 4.4 \quad \right|$

3 다음 조건에 맞는 수를 구하세요.

- $\dfrac{7}{6}$ 보다 1.75 큰 수입니다.
- 대분수입니다.

———————————

- 5.96보다 $2\dfrac{7}{8}$ 작은 수입니다.
- 소수입니다.

———————————

4 다음 중 두 수의 합이 가장 큰 식과 두 수의 차가 가장 큰 식을 각각 만들고 계산하세요.

$$3.36 \qquad \frac{27}{8} \qquad 3.18 \qquad 3\frac{1}{5}$$

합이 가장 큰 식: 식 _____ 답 _____

차가 가장 큰 식: 식 _____ 답 _____

5 정우는 오늘 수학과 영어를 공부하였습니다. 수학은 $1\frac{4}{5}$시간 동안 하였고, 영어는 1.35시간 동안 하였습니다. 오늘 수학과 영어를 공부한 시간은 모두 몇 시간일까요?

식 _____ 답 _____ 시간

6 요리사가 하루에 빵을 만드는 데 밀가루 $9.5\,\text{kg}$을 사용합니다. 현재 밀가루가 $3\frac{1}{6}\,\text{kg}$ 있을 때 오늘 빵을 만들기 위해서는 밀가루가 몇 kg 더 필요한가요?

식 _____ 답 _____ kg

분수와 소수가 섞인 나눗셈 (1)

개념
원리

분수와 소수가 섞인 (소수)÷(분수)를 계산해 봅시다.

[방법 1] $1.4 \div \dfrac{2}{5} = 1.4 \div \boxed{0}.\boxed{4} = \boxed{3}.\boxed{5}$

분수 $\dfrac{2}{5}$ 를 소수로 고쳐서 계산합니다.

[방법 2] $1.4 \div \dfrac{2}{5} = \dfrac{\boxed{14}}{10} \div \dfrac{2}{5} = \dfrac{\cancel{14}^{7}}{10_{2}} \times \dfrac{\cancel{5}^{1}}{2_{1}} = \dfrac{7}{2} = \boxed{3}\dfrac{1}{2}$

소수 1.4를 분수로 고쳐서 계산합니다.

[방법 1] $2.6 \div \dfrac{1}{2} = 2.6 \div \boxed{}.\boxed{} = \boxed{}.\boxed{}$

[방법 2] $2.6 \div \dfrac{1}{2} = \dfrac{\boxed{}}{10} \div \dfrac{1}{2} = \dfrac{\boxed{}}{10} \times \boxed{} = \dfrac{\boxed{}}{5} = \boxed{}\dfrac{\boxed{}}{5}$

[방법 1] $0.24 \div 1\dfrac{3}{5} = 0.24 \div \boxed{}.\boxed{} = \boxed{}.\boxed{}\boxed{}$

[방법 2] $0.24 \div 1\dfrac{3}{5} = \dfrac{\boxed{}}{100} \div \dfrac{\boxed{}}{5} = \dfrac{\boxed{}}{100} \times \dfrac{5}{\boxed{}} = \dfrac{\boxed{}}{20}$

$0.8 \div 1\dfrac{3}{5}$

$1.9 \div \dfrac{1}{2}$

$4.1 \div 1\dfrac{1}{2}$

$1.56 \div 1\dfrac{3}{10}$

$1.5 \div \dfrac{1}{4}$

$0.84 \div \dfrac{4}{5}$

$1.43 \div 1\dfrac{3}{8}$

$6.4 \div \dfrac{16}{25}$

$0.8 \div \dfrac{5}{6}$

$0.6 \div \dfrac{3}{4}$

$5.04 \div 1\dfrac{2}{5}$

$3.2 \div \dfrac{4}{9}$

1 관계있는 것끼리 선으로 이으세요.

| $1.5 \div \dfrac{3}{5}$ | $0.21 \div \dfrac{3}{8}$ | $5.4 \div 2\dfrac{7}{10}$ | $0.21 \div 1\dfrac{3}{25}$ |

| $\dfrac{3}{16}$ | 2 | 2.5 | $\dfrac{7}{16}$ | 0.56 |

2 몫이 큰 것부터 차례로 기호를 쓰세요.

| ㉠ $1.8 \div \dfrac{3}{5}$ | ㉡ $2.7 \div 2\dfrac{1}{4}$ | ㉢ $3.3 \div \dfrac{3}{4}$ | ㉣ $1.72 \div \dfrac{4}{5}$ |

3 ☐ 안에 알맞은 수를 구하세요.

$$\square \times \dfrac{4}{5} = 7.2$$

$$4\dfrac{1}{8} \times \square = 2.2$$

4 평행사변형의 넓이를 보고 ☐ 안에 알맞은 수를 구하세요.

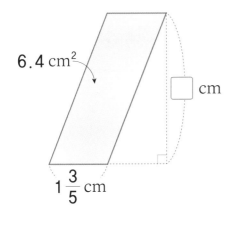

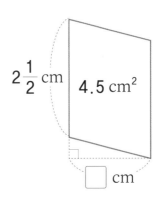

_____   _____

5 길이가 1.92 m인 철사가 있습니다. 이 철사를 $\dfrac{2}{25}$ m씩 자르면 모두 몇 도막이 되는지 구하세요.

식 _____   답 _____ 도막

6 어떤 수를 $\dfrac{3}{10}$으로 나누어야 하는데 잘못하여 곱했더니 1.14가 되었습니다. 바르게 계산하면 얼마인가요?

_____

분수와 소수가 섞인 나눗셈 (2)

분수와 소수가 섞인 (분수) ÷ (소수)를 계산해 봅시다.

[방법 1] $1\dfrac{2}{5} \div 0.4 = \dfrac{\boxed{7}}{5} \div \dfrac{\boxed{4}}{10} = \dfrac{\boxed{7}}{\cancel{5}_1} \times \dfrac{\overset{1}{\cancel{2}}\ \overset{1}{\cancel{10}}}{\underset{2}{\cancel{4}}} = \boxed{3}\dfrac{\boxed{1}}{\boxed{2}}$

소수 0.4를 분수로 고쳐서 계산합니다.

[방법 2] $1\dfrac{2}{5} \div 0.4 = \boxed{1}.\boxed{4} \div 0.4 = \boxed{3}.\boxed{5}$

분수 $1\dfrac{2}{5}$ 를 소수로 고쳐서 계산합니다.

[방법 1] $4\dfrac{1}{2} \div 0.9 = \dfrac{\boxed{}}{2} \div \dfrac{\boxed{}}{10} = \dfrac{\boxed{}}{2} \times \dfrac{10}{\boxed{}} = \boxed{}$

[방법 2] $4\dfrac{1}{2} \div 0.9 = \boxed{}.\boxed{} \div 0.9 = \boxed{}$

[방법 1] $1\dfrac{3}{4} \div 0.07 = \dfrac{\boxed{}}{4} \div \dfrac{\boxed{}}{100} = \dfrac{\boxed{}}{4} \times \dfrac{100}{\boxed{}} = \boxed{}$

[방법 2] $1\dfrac{3}{4} \div 0.07 = \boxed{}.\boxed{}\boxed{} \div 0.07 = \boxed{}$

$6\dfrac{2}{5} \div 0.8$

$1\dfrac{1}{2} \div 0.5$

$\dfrac{1}{6} \div 0.7$

$1\dfrac{4}{5} \div 3.6$

$3\dfrac{1}{2} \div 0.25$

$\dfrac{2}{3} \div 0.6$

$2\dfrac{1}{4} \div 0.3$

$1\dfrac{3}{25} \div 1.6$

$1\dfrac{1}{20} \div 0.3$

$2\dfrac{3}{8} \div 2.5$

$\dfrac{3}{10} \div 1.35$

$\dfrac{5}{8} \div 0.25$

1 (분수)÷(소수)를 계산하여 빈칸에 쓰세요.

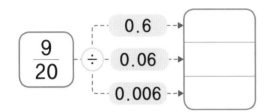

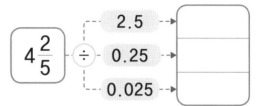

2 계산 결과가 조건에 맞는 것에 ◯표 하세요.

몫이 1보다 큰 식	$\dfrac{1}{5} \div 0.5$	$5\dfrac{7}{10} \div 9.5$	$\dfrac{17}{25} \div 0.4$	$3\dfrac{39}{50} \div 4.2$

몫이 1보다 작은 식	$\dfrac{1}{2} \div 0.4$	$\dfrac{63}{100} \div 1.5$	$1\dfrac{1}{20} \div 0.3$	$\dfrac{4}{5} \div 0.2$

3 분수를 소수로 고쳐서 계산하세요. 소수로 나누어떨어지지 않으면 반올림하여 소수 둘째 자리까지 나타내세요.

$2\dfrac{1}{2} \div 0.3 = $ _____

$\dfrac{2}{5} \div 0.6 = $ _____

$\dfrac{3}{4} \div 0.4 = $ _____

$3\dfrac{5}{8} \div 0.9 = $ _____

4 다음 삼각형의 넓이는 $5\frac{1}{4}$ cm²입니다. 삼각형의 높이는 몇 cm일까요?

1.4 cm

_____ cm

5 하준이는 1.8시간 동안 $10\frac{1}{2}$ km를 걸었습니다. 같은 빠르기로 걷는다면 1시간에 몇 km를 걸을

수 있을까요?

식 _____   답 _____ km

6 $2\frac{2}{5}$ L만큼 들어 있는 우유 통이 있습니다. 0.4 L씩 컵에 나누어 담으려면 몇 개의 컵이 필요할까요?

식 _____   답 _____ 개

간편한 방법으로 고쳐 계산하기

개념
원리

분수와 소수가 섞인 덧셈, 뺄셈, 곱셈, 나눗셈을 간편한 방법으로 계산해 봅시다.

((분수) , 소수)로 고쳐 계산하기

$$0.7 \times \frac{2}{3} = \frac{\boxed{7}}{\cancel{10}_{5}} \times \frac{\overset{1}{2}}{3} = \frac{\boxed{7}}{15}$$

$\frac{2}{3}$는 소수로 정확히 고칠 수 없으므로 0.7을 분수로 고쳐 계산합니다.

(분수 , (소수))로 고쳐 계산하기

$$\frac{1}{4} + 5.2 = \boxed{0}.\boxed{2}\boxed{5} + 5.2 = \boxed{5}.\boxed{4}\boxed{5}$$

5.2를 분수로 고치면 분수의 덧셈을 할 때 통분을 하게 되어 계산이 길어집니다.

그러나 $\frac{1}{4}$은 소수로 쉽게 고칠 수 있고, 소수의 덧셈은 자연수의 덧셈과 같이 간편하게 계산할 수 있습니다.

(분수 , 소수)로 고쳐 계산하기

$$\frac{1}{6} \times 0.2 = \frac{1}{6} \times \frac{\boxed{}}{10} = \frac{\boxed{}}{30}$$

(분수 , 소수)로 고쳐 계산하기

$$4.5 - 1\frac{3}{5} = 4.5 - \boxed{}.\boxed{} = \boxed{}.\boxed{}$$

(분수 , 소수)로 고쳐 계산하기

$$1\frac{1}{2} \div 0.7 = \frac{\boxed{}}{2} \div \frac{\boxed{}}{10} = \frac{\boxed{}}{2} \times \frac{10}{\boxed{}} = \frac{\boxed{}}{7} = \boxed{}\frac{\boxed{}}{7}$$

$6.2 + \dfrac{3}{4}$

$\dfrac{2}{5} \times 0.7$

$\dfrac{5}{6} \div 3.5$

$\dfrac{5}{7} + 0.4$

$2.2 \div \dfrac{4}{5}$

$4.1 - 1\dfrac{1}{2}$

$3\dfrac{11}{20} - 1.07$

$1\dfrac{1}{5} \div 0.72$

$0.15 \times \dfrac{18}{25}$

$1.3 \div 3\dfrac{7}{15}$

$4.675 + 3\dfrac{1}{8}$

$3\dfrac{3}{4} \times 12.8$

1 관계있는 것끼리 선으로 이으세요.

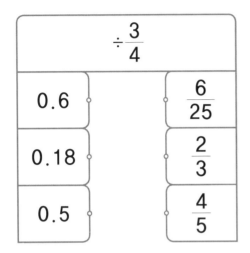

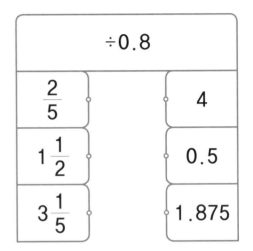

2 ○ 안에 +, −, ×, ÷를 알맞게 넣으세요.

$$4.2 \bigcirc \frac{3}{2} = 2.7$$

$$4.2 \bigcirc \frac{3}{2} = 6\frac{3}{10}$$

$$4.2 \bigcirc \frac{3}{2} = 5.7$$

$$4.2 \bigcirc \frac{3}{2} = 2\frac{4}{5}$$

3 계산 결과가 주어진 범위에 포함되는 식을 찾아 기호를 쓰세요.

$$\text{㉠ } 6.25 - 1\frac{3}{4} \qquad \text{㉡ } \frac{2}{25} \times 0.9 \qquad \text{㉢ } 1.2 + \frac{5}{6} \qquad \text{㉣ } 1\frac{7}{50} \div 0.38$$

2 이상 3 미만: _____

4 초과 6 이하: _____

4 다음 중 계산 결과를 소수로 정확하게 나타낼 수 없는 것을 모두 찾아 기호를 쓰세요.

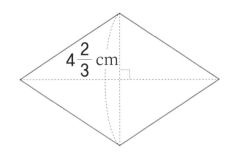

○ $6\frac{1}{5} \div 0.4$ ○ $1\frac{1}{6} + 0.8$ ○ $3\frac{6}{7} \times 3.5$

○ $3.7 - \frac{7}{25}$ ○ $2.1 \div 1\frac{1}{3}$ ○ $4\frac{1}{6} \div 1.5$

5 넓이가 16.8 cm²인 마름모의 다른 대각선의 길이를 구하세요.

$4\frac{2}{3}$ cm

_____ cm

6 $3\frac{1}{2} \div 0.6$의 몫을 구하는 방법을 가장 알맞게 설명한 사람의 이름을 쓰세요.

$3\frac{1}{2}$은 소수로 간단히 바꿀 수 있으니까 소수로 고쳐서 계산해.

슬기

$3\frac{1}{2}$은 0.6으로 잘 나누어떨어지지 않을 것 같아. 0.6을 분수로 바꾸어 계산해.

승희

$3\frac{1}{2}$은 소수로, 0.6은 분수로 고쳐서 계산해.

정호

1 빈칸에 알맞은 수를 쓰세요

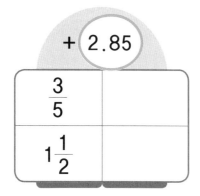

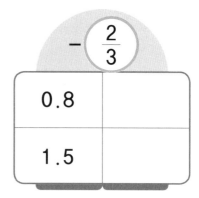

2 다음 조건에 맞는 수를 구하세요.

> - $\dfrac{3}{4}$ 보다 3.65 큰 수입니다.
> - 소수입니다.

> - 5.5보다 $2\dfrac{1}{6}$ 작은 수입니다.
> - 분수입니다.

_____

_____

3 다음 중 두 수의 합이 가장 큰 식과 두 수의 차가 가장 큰 식을 각각 만들고 계산하세요.

$$4\dfrac{2}{5} \qquad 4.08 \qquad \dfrac{37}{8} \qquad 4.5$$

합이 가장 큰 식: 식 _____ 답 _____

차가 가장 큰 식: 식 _____ 답 _____

4 ☐안에 알맞은 수를 구하세요.

$$\square \times \frac{3}{4} = 1.2$$

$$1\frac{1}{2} \times \square = 1.8$$

_____   _____

5 콩이 $3\frac{3}{4}$ kg이 있습니다. 한 봉지에 0.75kg씩 나누어 담으면 콩은 모두 몇 봉지가 될까요?

식 _____   답 _____ 봉지

6 분수를 소수로 고쳐서 계산할 때 나누어떨어지는 것에 ◯표 하세요.

| $1\frac{1}{3} \div 0.4$ | $\frac{1}{8} \div 0.75$ | $\frac{3}{4} \div 0.25$ | $\frac{4}{5} \div 0.6$ |

7 ○ 안에 **+**, **−**, **×**, **÷**를 알맞게 넣으세요.

$$5.4 \bigcirc \frac{3}{4} = 4\frac{1}{20}$$

$$5.4 \bigcirc \frac{3}{4} = 4.65$$

$$5.4 \bigcirc \frac{3}{4} = 6.15$$

$$5.4 \bigcirc \frac{3}{4} = 7\frac{1}{5}$$

8 다음 삼각형의 넓이는 $6\frac{1}{4}$ cm^{2}입니다. 삼각형의 높이는 몇 cm일까요?

2.5 cm

_____ cm

9 민수는 2.5시간 동안 $9\frac{1}{6}$ km를 걸었습니다. 같은 빠르기로 걷는다면 1시간에 몇 km를 걸을 수 있을까요?

식 _____   답 _____ km

3주차

분수와 소수의 혼합 계산

분수와 소수가 섞이지 않은 혼합 계산,
분수와 소수가 섞인 혼합 계산

분수의 혼합 계산

개념
원리

덧셈, 뺄셈, 곱셈, 나눗셈, ( )가 섞여 있는 식의 분수의 계산을 알아봅시다.

$1\dfrac{1}{2} \div 2\dfrac{1}{4} + \dfrac{2}{3}$

$= \dfrac{\boxed{3}}{2} \div \dfrac{\boxed{9}}{4} + \dfrac{2}{3}$

$= \dfrac{\boxed{3}}{2} \times \dfrac{4}{\boxed{9}} + \dfrac{2}{3}$

$= \dfrac{\boxed{2}}{3} + \dfrac{2}{3} = \dfrac{\boxed{4}}{3} = \boxed{1}\dfrac{\boxed{1}}{3}$

곱셈과 나눗셈 계산을 한 후 덧셈 또는 뺄셈을 앞에서 부터 계산합니다.

$\dfrac{4}{5} \times (\dfrac{3}{4} + 1\dfrac{1}{8})$

$= \dfrac{4}{5} \times (\dfrac{3}{4} + \dfrac{\boxed{9}}{8})$

$= \dfrac{4}{5} \times (\dfrac{\boxed{6}}{8} + \dfrac{\boxed{9}}{8})$

$= \dfrac{4}{5} \times \dfrac{\boxed{15}}{8} = \dfrac{\boxed{3}}{2} = \boxed{1}\dfrac{\boxed{1}}{2}$

( ) 안을 가장 먼저 계산하고, 곱셈과 나눗셈 계산을 한 후 마지막으로 덧셈 또는 뺄셈을 앞에서부터 계산합니다.

$\dfrac{3}{8} + 1\dfrac{2}{3} \times \dfrac{9}{10}$

$= \dfrac{3}{8} + \dfrac{\boxed{}}{3} \times \dfrac{9}{10}$

$= \dfrac{3}{8} + \dfrac{\boxed{}}{2} = \dfrac{3}{8} + \dfrac{\boxed{}}{8}$

$= \dfrac{\boxed{}}{8} = \boxed{}\dfrac{\boxed{}}{8}$

$(3\dfrac{5}{6} - 1\dfrac{8}{9}) \div \dfrac{5}{6}$

$= (\dfrac{\boxed{}}{6} - \dfrac{\boxed{}}{9}) \div \dfrac{5}{6}$

$= (\dfrac{\boxed{}}{18} - \dfrac{\boxed{}}{18}) \div \dfrac{5}{6}$

$= \dfrac{\boxed{}}{18} \times \dfrac{\boxed{}}{5} = \dfrac{\boxed{}}{3} = \boxed{}\dfrac{\boxed{}}{3}$

$3\dfrac{1}{4}-(1\dfrac{7}{8}-\dfrac{3}{4})$

$2\dfrac{4}{7}-\dfrac{6}{7}\div\dfrac{2}{5}$

$2\dfrac{1}{4}+\dfrac{7}{20}\times\dfrac{15}{28}$

$(\dfrac{1}{3}+\dfrac{1}{4})\times\dfrac{9}{14}$

$1\dfrac{3}{7}\times(1\dfrac{1}{6}+\dfrac{7}{12})$

$7\dfrac{2}{3}-3\dfrac{1}{9}\times1\dfrac{7}{8}$

$4\dfrac{4}{9}-(3\dfrac{2}{9}+1\dfrac{2}{3})\div4$

$20\div(1\dfrac{1}{2}+\dfrac{3}{8})\times1\dfrac{1}{8}$

$\dfrac{14}{15}\div1\dfrac{1}{6}\times10-2\dfrac{5}{8}$

$\dfrac{3}{5}\div\dfrac{4}{7}-(\dfrac{3}{10}+\dfrac{1}{2})$

$\dfrac{5}{12}\times\dfrac{3}{10}+1\dfrac{1}{4}\div2\dfrac{1}{7}$

$\dfrac{1}{6}-\dfrac{3}{5}\div(\dfrac{9}{4}\times2\dfrac{2}{5})$

1　□ 안에 들어갈 수 있는 자연수를 모두 쓰세요.

$$1\frac{1}{3} - \frac{1}{4} \div 1\frac{1}{8} < \square < 3\frac{1}{3} \times \left(2\frac{3}{5} - \frac{7}{10}\right)$$

_____

2　계산 순서를 바꾸어도 계산 결과가 달라지지 않는 것을 모두 찾아 ◯표 하세요.

$\dfrac{6}{25} + \dfrac{2}{5} \div 1\dfrac{1}{3}$	$2\dfrac{3}{4} + 2\dfrac{7}{10} - \dfrac{3}{5}$	$3\dfrac{7}{8} - \dfrac{1}{2} + 2\dfrac{3}{4}$
$\dfrac{5}{7} \div \dfrac{9}{14} + \dfrac{2}{3}$	$3\dfrac{1}{5} - 1\dfrac{1}{2} \times \dfrac{5}{6}$	$\dfrac{2}{9} \times 1\dfrac{1}{2} \div \dfrac{1}{6}$

3　□ 안에 알맞은 수를 구하세요.

$\dfrac{4}{25}$　$\xrightarrow{\div \frac{1}{5}}$　$\square$　$\xrightarrow{\div 2\frac{1}{2}}$　$\square$　$\xrightarrow{+\frac{2}{5}}$　$\square$

$\square$　$\xrightarrow{\times 1\frac{1}{3}}$　$\dfrac{2}{3}$　$\xrightarrow{-\frac{2}{9}}$　$\square$　$\xrightarrow{\div 1\frac{1}{6}}$　$\square$

$\square$　$\xrightarrow{\div \frac{3}{5}}$　$\square$　$\xrightarrow{\times 1\frac{3}{5}}$　$\square$　$\xrightarrow{-\frac{7}{10}}$　$\dfrac{1}{2}$

4   다음과 같은 방법으로 계산해 보세요.

$$\frac{4}{5} \times 1\frac{1}{6} - \frac{4}{5} \times \frac{2}{3} = \frac{4}{5} \times (1\frac{1}{6} - \frac{2}{3})$$
$$= \frac{4}{5} \times (\frac{7}{6} - \frac{4}{6})$$
$$= \frac{4}{5} \times \frac{3}{6}$$
$$= \frac{2}{5}$$

$$3\frac{1}{3} \times 2\frac{3}{5} - 3\frac{1}{3} \times \frac{9}{10}$$

5   길이가 $8\frac{2}{3}$ m인 끈으로 리본을 만들려고 합니다. 이 중에서 $2\frac{1}{4}$ m를 잘라서 긴 리본을 만들고 나머지를 $\frac{11}{12}$ m씩 잘라서 작은 리본을 만들때 작은 리본은 몇 개 만들 수 있을까요?

식 _____   **답** _____ 개

6   병호는 어제 책 한 권의 $\frac{1}{4}$ 을 읽었고, 오늘은 어제 읽고 난 나머지의 $\frac{1}{6}$ 을 읽었습니다.

어제와 오늘 읽은 양은 책 전체의 얼마인가요?

책 한 권이 **240**쪽일 때, 어제와 오늘 읽고 난 나머지는 몇 쪽인가요?

_____ 쪽

소수의 혼합 계산

개념
원리

덧셈, 뺄셈, 곱셈, 나눗셈, ( )가 섞여 있는 식의 소수의 계산을 알아봅시다.

$$4.1-2.8\times0.5=4.1-\boxed{1.4}=\boxed{2.7}$$

① ②

곱셈과 나눗셈 계산을 한 후 덧셈 또는 뺄셈을 앞에서부터 계산합니다.

$$0.78\div(8.3-5.7)+3.6=0.78\div\boxed{2.6}+3.6$$
$$=\boxed{0.3}+3.6=\boxed{3.9}$$

① ② ③

( )안을 가장 먼저 계산하고, 곱셈과 나눗셈 계산을 한 후 마지막으로 덧셈 또는 뺄셈을 앞에서부터 계산합니다.

$$5.7+1.8\div1.5=5.7+\boxed{}=\boxed{}$$

$$0.3\times(4.8-2.3)=0.3\times\boxed{}=\boxed{}$$

$$(3.56-1.32)\div1.4=\boxed{}\div1.4=\boxed{}$$

$$0.7\times0.8+4.8\div3.2=\boxed{}+\boxed{}=\boxed{}$$

$$8.4-0.6\times(0.92\div0.4)=8.4-0.6\times\boxed{}$$
$$=8.4-\boxed{}=\boxed{}$$

$7.6 + 1.4 \times 0.7$

$5.4 - (3.4 - 1.8)$

$1.3 \times 0.2 \div 0.4$

$4.2 \div (0.5 \times 7)$

$0.5 \times (8.47 - 2.45)$

$(8.9 + 3.7) \div 0.6$

$4.8 \times 0.5 \div 0.2 - 7.8$

$7.2 + (4.7 - 3.02) \div 2.1$

$9.2 \times 0.4 - 0.63 \div 0.7$

$12.8 - 6.1 \times (5.2 - 4.7)$

$3.9 \div (0.7 + 0.8) \times 0.5 - 0.9$

$1.2 \times 1.2 \div (0.2 \times 0.3) - (2.8 + 3.3)$

1 계산 결과가 같은 것끼리 선으로 이으세요.

6.5+(3.4−1.7)	6.5−3.4+1.7
6.5−(3.4+1.7)	6.5+3.4+1.7
6.5+(3.4+1.7)	6.5+3.4−1.7
6.5−(3.4−1.7)	6.5−3.4−1.7

4.8×(1.2×0.2)	4.8÷1.2÷0.2
4.8÷(1.2×0.2)	4.8×1.2×0.2
4.8×(1.2÷0.2)	4.8÷1.2×0.2
4.8÷(1.2÷0.2)	4.8×1.2÷0.2

2 ○ 안에 >, =, <를 알맞게 넣으세요.

$(8.7+4.5) \times 0.8$ ◯ $(8.7+4.5) \div 0.8$

$(5.8+4.85) \times 1.5$ ◯ $(5.8+4.85) \div 1.5$

$8.4 \times 0.6 - 2.3$ ◯ $8.4 \div 0.6 - 2.3$

$4.08 \times 1.2 - 1.7$ ◯ $4.08 \div 1.2 - 1.7$

3 같은 모양은 같은 수를, 다른 모양은 다른 수를 나타낼 때 각 모양이 나타내는 수를 구하세요.

$$● × ● = 0.16$$
$$● − ▲ = 0.23$$

● = _____ , ▲ = _____

$$■ + ■ = 5$$
$$♠ × ■ = 2$$

■ = _____ , ♠ = _____

$$♣ × ♣ = 1.44$$
$$◆ + 0.5 = ♣$$

♣ = _____ , ◆ = _____

$$⬠ × ⬠ × ⬠ = 0.008$$
$$⬠ ÷ ★ = 0.4$$

⬠ = _____ , ★ = _____

4 주어진 수를 한 번씩 사용하여 계산 결과가 가장 큰 식을 만들고 계산하세요.

0.2	0.4
0.6	0.8

▢ + ▢ × ▢ − ▢ = _____

▢ × (▢ + ▢) ÷ ▢ = _____

5 공책의 무게는 연필의 무게의 5.4배이고, 지우개의 무게는 연필의 무게의 2.6배입니다. 연필의 무게가 6.5 g이라면 공책과 지우개의 무게의 차는 몇 g인지 구하세요.

식 _____   답 _____ g

분수와 소수가 섞인 혼합 계산 (1)

개념 원리

덧셈, 뺄셈, 곱셈, 나눗셈, ( )가 섞여 있고, 분수와 소수가 섞여 있는 식의 계산을 알아봅시다.

[방법 1]

$$\frac{3}{4}+0.5\div\frac{2}{5}=\boxed{0.75}+0.5\div\boxed{0.4}=\boxed{0.75}+\boxed{1.25}=\boxed{2}$$

분수를 소수로 고친 후 혼합 계산의 순서에 따라 계산합니다.

[방법 2]

$$\frac{3}{4}+0.5\div\frac{2}{5}=\frac{3}{4}+\frac{\boxed{5}}{10}\div\frac{2}{5}=\frac{3}{4}+\frac{\boxed{5}}{\cancel{10}^{2}}\times\frac{\cancel{5}^{1}}{2}$$

$$=\frac{3}{4}+\frac{\boxed{5}}{4}=\frac{\boxed{8}}{4}=\boxed{2}$$

소수를 분수로 고친 후 혼합 계산의 순서에 따라 계산합니다.

[방법 1]

$$1\frac{1}{2}\times0.4\div1.5=\boxed{}\times0.4\div1.5=\boxed{}\div1.5=\boxed{}$$

[방법 2]

$$1\frac{1}{2}\times0.4\div1.5=\frac{\boxed{}}{2}\times\frac{\boxed{}}{10}\div\frac{\boxed{}}{10}=\frac{\boxed{}}{5}\div\frac{\boxed{}}{10}$$

$$=\frac{\boxed{}}{5}\times\frac{10}{\boxed{}}=\frac{\boxed{}}{5}$$

$$3.5\times\frac{4}{5}-0.3\div\frac{1}{4}=3.5\times\boxed{}-0.3\div\boxed{}$$

$$=\boxed{}-\boxed{}=\boxed{}$$

$8.2 - (1\frac{4}{5} + 2.6)$

$(2\frac{1}{2} + 1.25) \div \frac{1}{4}$

$2.72 \div \frac{4}{5} - 1\frac{4}{5}$

$1\frac{7}{16} \div (2.5 + \frac{3}{8})$

$1.1 \times 1.6 \div \frac{1}{2}$

$1\frac{1}{2} \times 0.3 \div 0.5$

$3\frac{4}{7} - 4.5 \times \frac{4}{9}$

$\frac{3}{8} + 0.25 \div \frac{5}{12}$

$\frac{8}{9} - 0.8 \times \frac{1}{6} \div 1.2$

$0.4 \div \frac{4}{5} + \frac{3}{5} \times 3.5$

$2\frac{1}{6} - (1\frac{1}{3} \times 1.5 - \frac{1}{6})$

$(2\frac{1}{4} - 0.35) \div \frac{1}{2} \times 0.7$

1 계산 결과가 같은 것 **2**개를 골라 ◯표 하세요.

$1\dfrac{3}{5}\times0.2+4.5$
$(1\dfrac{3}{5}+4.5)\times0.2$
$\dfrac{8}{5}+4.5\times0.2$
$(1\dfrac{3}{5}+4.5)\div0.2$
$\dfrac{8}{5}\times0.2+4.5\times0.2$

$\dfrac{1}{2}\div0.4\div1\dfrac{1}{4}$
$\dfrac{1}{2}\div0.4\times1\dfrac{1}{4}$
$0.4\div1\dfrac{1}{4}\times\dfrac{1}{2}$
$1\dfrac{1}{4}\div0.4\div\dfrac{1}{2}$
$\dfrac{4}{5}\times\dfrac{1}{2}\div0.4$

2 ◯ 안에 **>**, **=**, **<**를 알맞게 넣으세요.

$$3\dfrac{2}{5}-1.6\times\dfrac{3}{4}\ \bigcirc\ (3\dfrac{2}{5}-1.6)\times\dfrac{3}{4}$$

$$6\div1\dfrac{4}{5}+0.4\ \bigcirc\ 6\div(1\dfrac{4}{5}+0.4)$$

3 사다리꼴의 넓이를 구하세요.

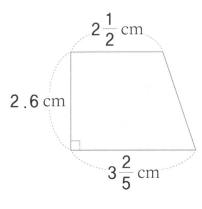

$2\frac{1}{2}$ cm

2.6 cm

$3\frac{2}{5}$ cm

_____ cm^2

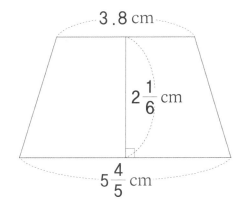

3.8 cm

$2\frac{1}{6}$ cm

$5\frac{4}{5}$ cm

_____ cm^2

4 어떤 수에 3.5를 곱한 후 $2\frac{1}{4}$ 로 나누었더니 $3\frac{1}{3}$ 이 되었습니다. 어떤 수는 얼마일까요?

_____

5 가방의 무게는 3.4 kg이고, 물통의 무게는 $1\frac{1}{4}$ kg입니다. 가방과 물통의 무게를 더한 값은 나무 상
자의 무게의 3배라고 할 때, 나무 상자의 무게는 몇 kg인지 구하세요.

식 _____   답 _____ kg

분수와 소수가 섞인 혼합 계산 (2)

개념
원리

여러 개의 분수와 소수가 섞여 있는 혼합 계산을 알아봅시다.

$$\left(0.15 + 2\frac{1}{2} \times 0.3\right) - \frac{3}{8} \div \frac{3}{4}$$

$$= \left(0.15 + \boxed{2.5} \times 0.3\right) - \frac{3}{8} \times \frac{\overset{1}{\cancel{4}}}{\underset{1}{\cancel{3}}}$$

분수 $2\frac{1}{2}$ 을 소수로 고치기

$$= \left(0.15 + \boxed{0.75}\right) - \frac{1}{\boxed{2}}$$

분수 $\frac{1}{2}$ 을 소수로 고치기

$$= \boxed{0.9} - \boxed{0.5}$$

$$= \boxed{0.4}$$

계산 과정 중에 소수나 분수를 각각 계산하기 편리한 형태로 고친 후, 혼합 계산의 순서에 따라 계산합니다.

$$1.2 \times \frac{2}{5} \div \left(1.3 - \frac{1}{2}\right)$$

$$= 1.2 \times \boxed{} \div \left(1.3 - \boxed{}\right)$$

$$= \boxed{} \div \boxed{}$$

$$= \boxed{}$$

$$\frac{3}{4} \div 1.5 + 1\frac{1}{8} \times 0.8 + \frac{1}{2}$$

$$= \frac{3}{4} \div \frac{15}{\boxed{}} + \frac{9}{8} \times \frac{\boxed{}}{10} + \frac{1}{2}$$

$$= \frac{3}{4} \times \frac{\boxed{}}{15} + \frac{\boxed{}}{10} + \frac{1}{2}$$

$$= \frac{1}{\boxed{}} + \frac{\boxed{}}{10} + \frac{1}{2}$$

$$= \boxed{}\frac{\boxed{}}{10}$$

$1\dfrac{1}{5} \times (0.8 + 1\dfrac{1}{5}) \div 0.6$

$1.8 \times 1\dfrac{1}{9} - 2\dfrac{2}{3} \div 4.8$

$1.4 + \dfrac{2}{3} \times 4 \div 0.5 - 1\dfrac{2}{15}$

$(\dfrac{7}{10} + 1.1) \times 3.5 \div 1\dfrac{2}{5} - 2.8$

$2\dfrac{1}{4} \times 2 + 1\dfrac{2}{5} \div 0.4 - 0.7$

$2 - 1\dfrac{2}{3} \times 0.75 \div (6.9 - 2\dfrac{2}{5})$

$1.6 \div (\dfrac{1}{2} - \dfrac{1}{5}) \times 0.4 - \dfrac{4}{5}$

$\dfrac{2}{15} \times 0.6 + 2\dfrac{1}{2} \times 1.8 - 0.7$

$8.2 - 2.42 \div \dfrac{2}{5} + \dfrac{1}{4} \times (2\dfrac{1}{2} - 1.9)$

$(4.2 \div 1\dfrac{1}{6}) \div (6.4 - 2.8) + 3.2 \div \dfrac{8}{9}$

1 다음을 계산하세요.

$$4.34 \times \frac{5}{7} + (2.25 - 1\frac{1}{4}) \div 5 - 1\frac{1}{4}$$

2 규칙에 따라 계산하세요.

가 ● 나 = 가÷나-나÷가

$$1.25 ● \frac{1}{4} = \underline{\hspace{3cm}}$$

$$3\frac{1}{2} ● 2.1 = \underline{\hspace{3cm}}$$

가 ▲ 나 = (가+나)÷가×나

$$1\frac{3}{5} ▲ 3.2 = \underline{\hspace{3cm}}$$

$$0.75 ▲ \frac{1}{3} = \underline{\hspace{3cm}}$$

3 ☐ 안에 알맞은 수를 구하세요.

$$1\frac{2}{3} \times (\frac{1}{6} + 1.4 \times \boxed{}) = 1\frac{1}{9}$$

$$7 - 2\frac{1}{2} \div 0.4 + \frac{2}{5} \times \boxed{} = 2.95$$

4 주어진 사다리꼴의 넓이를 보고 ☐ 안에 알맞은 수를 구하세요.

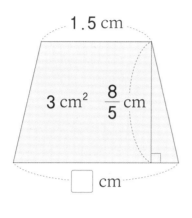

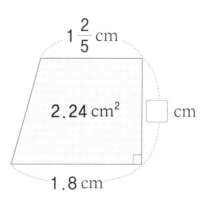

_____   _____

5 포도는 $3\frac{1}{4}$ kg에 6500원이고, 딸기는 1 kg에 4000원입니다. 포도 1.2 kg과 딸기 $2\frac{3}{5}$ kg을 사려면 얼마를 내야 할까요?

식 _____   답 _____ 원

6 버스가 고속도로를 2시간 40분 동안 289.6 km를 이동하였습니다. 같은 빠르기로 $\frac{1}{3}$ 시간 동안에는 몇 km를 이동할 수 있을까요?

식 _____   답 _____ km

1 다음 중 계산 결과가 가장 큰 것에 ○표, 가장 작은 것에 △표 하세요.

| $(4.3+2.9)\times0.5$ | $(4.3+2.9)-0.5$ | $(4.3+2.9)\div0.5$ |

| $(1.2+2.8)+1.2$ | $(1.2+2.8)\times1.2$ | $(1.2+2.8)\div1.2$ |

2 ☐ 안에 알맞은 수를 쓰세요.

$$1\frac{1}{5} \xrightarrow{\times\frac{2}{3}} \boxed{} \xrightarrow{\div\frac{8}{15}} \boxed{} \xrightarrow{+\frac{3}{8}} \boxed{}$$

$$\boxed{} \xrightarrow{\div\frac{9}{16}} \boxed{} \xrightarrow{-\frac{5}{6}} \boxed{} \xrightarrow{\times3\frac{1}{3}} 1\frac{2}{3}$$

3 같은 모양은 같은 수를, 다른 모양은 다른 수를 나타낼 때 각 모양이 나타내는 수를 구하세요.

◑ + ◑ = 1.8
◑ × ▲ = 2.25

◑ = _____ , ▲ = _____

▦ × ▦ = 0.64
♠ − ▦ = 2.7

▦ = _____ , ♠ = _____

4 주희는 어제 책 한 권의 $\frac{1}{3}$ 을 읽었고, 오늘은 어제 읽고 난 나머지의 $\frac{1}{4}$ 을 읽었습니다.

어제와 오늘 읽은 양은 책 전체의 얼마인가요?

_____

책 한 권이 200쪽일 때, 어제와 오늘 읽고 난 나머지는 몇 쪽인가요?

_____ 쪽

5 계산 결과가 나머지와 다른 하나에 ◯표 하세요.

$\frac{4}{5} \div 0.3 \times \frac{5}{6}$	$\frac{4}{5} \times \frac{10}{3} \times \frac{5}{6}$	$(\frac{4}{5} \div \frac{3}{10}) \times \frac{5}{6}$
$\frac{4}{5} \times \frac{5}{6} \div 0.3$	$\frac{5}{6} \div \frac{4}{5} \times 0.3$	

6 다음을 계산하세요.

$$2\frac{5}{8} \times \frac{3}{7} \div 0.6 + 2 \div 1\frac{1}{3} \qquad\qquad 1\frac{7}{20} \div (0.5 \times 0.3) - 1\frac{1}{2}$$

7 규칙에 따라 계산하세요.

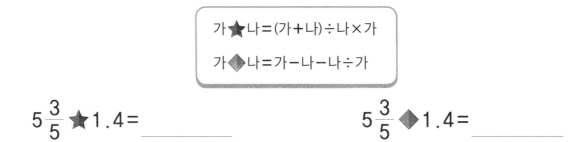

$$가 ★ 나 = (가+나) ÷ 나 × 가$$
$$가 ◆ 나 = 가 - 나 - 나 ÷ 가$$

$5\dfrac{3}{5} ★ 1.4 = $ _____

$5\dfrac{3}{5} ◆ 1.4 = $ _____

8 사다리꼴의 높이는 몇 cm인지 구하세요.

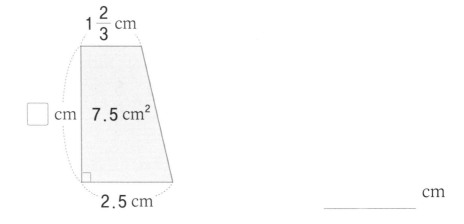

$1\dfrac{2}{3}$ cm

□ cm 7.5 cm^2

2.5 cm

_____ cm

9 동현이는 1시간 20분 동안 걸어서 3.6 km를 이동하였습니다. 같은 빠르기로 걷는다면 $2\dfrac{2}{3}$시간 동안에는 몇 km를 이동할 수 있을까요?

식 _____   답 _____ km

4주차

간편하게 계산하기

복잡한 분수, 소수의 계산을 수나 식을
조작하여 간편하게 계산하기

간편하게 계산하기-소수(1)

괄호를 이용하여 식을 간편하게 계산하는 방법을 알아봅시다.

$2.25 \times 0.16 + 0.225 \times 1.4$

$= 2.25 \times 0.16 + 2.25 \times \boxed{0.14}$

$= 2.25 \enspace \textcircled{×} \enspace (0.16 + \boxed{0.14})$

$= 2.25 \enspace \textcircled{×} \enspace \boxed{0.3}$

$= \boxed{0.675}$

같은 수를 곱하거나 같은 수로 나누는 경우 괄호로 묶어 식을 간단히 한 후 계산합니다.

$(25.2 - 0.48) \div 1.2$

$= 25.2 \enspace \textcircled{÷} \enspace 1.2 \enspace \textcircled{−} \enspace 0.48 \div 1.2$

$= \boxed{21} \enspace \textcircled{−} \enspace \boxed{0.4}$

$= \boxed{20.6}$

괄호 안의 계산이 복잡한 경우 괄호를 풀어 괄호 밖의 수와 먼저 계산한 후 계산합니다.

$4.5 \times 37 + 45 \times 2.3$

$= 4.5 \times 37 + 4.5 \times \boxed{}$

$= 4.5 \enspace \bigcirc \enspace (37 \enspace \bigcirc \enspace \boxed{})$

$= 4.5 \enspace \bigcirc \enspace \boxed{}$

$= \boxed{}$

$(7.77 + 5.6) \div 0.7$

$= 7.77 \enspace \bigcirc \enspace 0.7 \enspace \bigcirc \enspace 5.6 \div \boxed{}$

$= \boxed{} \enspace \bigcirc \enspace \boxed{}$

$= \boxed{}$

$3.83 \times 1.2 \div 0.12$

$= 3.83 \times (1.2 \enspace \bigcirc \enspace 0.12)$

$= 3.83 \times \boxed{}$

$= \boxed{}$

$1.96 \div 1.4 \div 0.7$

$= 1.96 \div (1.4 \enspace \bigcirc \enspace 0.7)$

$= 1.96 \div \boxed{}$

$= \boxed{}$

9.9×88

$= (10 - \boxed{}) \times 88$

$= 10 \bigcirc 88 \bigcirc \boxed{} \times 88$

$= \boxed{} \bigcirc \boxed{}$

$= \boxed{}$

$1.2 \times 1.6 + 2.4 \times 1.7$

$= 1.2 \bigcirc (1.6 \bigcirc \boxed{} \times 1.7)$

$= 1.2 \bigcirc (1.6 \bigcirc \boxed{})$

$= 1.2 \bigcirc \boxed{}$

$= \boxed{}$

$99 \times 73.2 + 73.2$

$23 \times 1.05 + 3.7 \times 10.5$

$0.32 \times 7.4 + 3.2 \times 0.16$

$(1.7 - 0.34 + 51) \div 1.7$

4.7×9.99

$86.45 \div 3.625 \times 36.25$

$1.4 \times 0.32 + 2.8 \times 0.34$

$(4.69 \times 2.4 + 53.1 \times 0.24) \div 2.4$

1 ○ 안에 >, =, <를 알맞게 넣으세요.

$$(3.4+2.5)×1.8 \bigcirc 3.2×1.8+2.5×1.8$$

$$5.6×6.1-5.9×3.7 \bigcirc 5.6×(6.1-3.7)$$

$$(22.8+9.12)÷2.4 \bigcirc 22.8÷2.4+9.36÷2.4$$

$$4.5×3.9+3.8×4.5 \bigcirc 6.9×4.5$$

2 같은 모양은 같은 수를 나타낼 때 ◑와 ▲ 모양이 나타내는 수를 구하세요.

$$0.1×◑+0.2×◑+0.3×◑+……+0.9×◑=0.9$$

◑= _____

$$0.5×▲+0.7×▲+0.9×▲+1.1×▲+1.3×▲+1.5×▲=8.4$$

▲= _____

3 다음을 계산하세요.

$24.7 \times 0.132 + 1.53 \times 1.32$

$1220 \times 121.9 - 1219 \times 121.5$

$5.2 \times 2.25 + 0.225 \times 1.6 + 464 \times 0.0225$

4 친구들이 생각하는 방법에 따라 주어진 식을 계산해 보세요.

자연수 부분이랑 소수 부분을
따로 계산해야지.

$1.125 + 2.125 + 3.125 + \cdots\cdots + 10.125$

$10, 100, 1000 \cdots\cdots$을 기준으로
식을 다시 세워 계산해 봐야지.

$9.6 + 99.6 + 999.6 + 9999.6 + 99999.6$

간편하게 계산하기-소수(2)

개념
원리

복잡해 보이는 소수의 곱셈과 나눗셈을 간편하게 계산하는 방법을 알아봅시다.

$$0.4 \times 12.5 \times 2.5 \times 0.8 \times 9$$

$$= \boxed{1} \times \boxed{10} \times 9$$

$$= \boxed{90}$$

곱의 순서에 관계없이 곱이 1, 10, 100, 1000 등이 되는 수를 찾아 먼저 곱한 후 나머지 수를 계산합니다.

$$8.8 \times 1.25$$

$$= (1.1 \times \boxed{8}) \times 1.25$$

$$= 1.1 \times (\boxed{8} \times 1.25)$$

$$= 1.1 \times \boxed{10}$$

$$= \boxed{11}$$

곱이 1, 10, 100, 1000이 되도록 1개의 수를 몇 개의 수의 곱으로 나타낸 후 간편하게 계산합니다.

5, 25, 125가 있는 계산은 2×5=10, 4×25=100, 8×125=1000을 이용하여 간편하게 계산합니다.

$$0.04 \times 2.5 \times 7.6$$

$$= \boxed{} \times 7.6$$

$$= \boxed{}$$

$$8 \times 1.73 \times 12.5$$

$$= 1.73 \times \boxed{}$$

$$= \boxed{}$$

$$53.6 \times 2.5$$

$$= (\boxed{} \times 4) \times 2.5$$

$$= \boxed{} \times (4 \times 2.5)$$

$$= \boxed{} \times \boxed{}$$

$$= \boxed{}$$

$$12.7 \div 2.5 \div 4$$

$$= 12.7 \div (2.5 \times 4)$$

$$= 12.7 \div \boxed{}$$

$$= \boxed{}$$

$0.05 \times 17.9 \times 0.2$

$2.5 \times 6.37 \times 0.04$

$8 \times 9.4 \times 0.125$

$7.5 \div 12.5 \div 0.8$

$9 \times 0.8 \times 0.5 \times 0.04 \times 1.25 \times 0.25 \times 0.2$

2.5×3.6

56×1.25

4.8×0.125

4.16×25

$0.7 \div (2.8 \times 2.5)$

$0.125 \times 0.25 \times 64 \times 0.5$

1 ☐ 안에 알맞은 수를 쓰세요.

☐ × 4 = 1   12.5 × ☐ = 10

0.2 × ☐ × 5.3 = 0.53   2.9 × 8 × ☐ = 29

☐ × 7.4 × 2.5 = 74   0.125 × 3 × ☐ = 0.3

2 곱셈을 하여 빈칸에 알맞은 수를 쓰세요.

× (2.5)

2.8	
0.36	
4.04	

× (12.5)

4.8	
6.4	
0.72	

3 직육면체의 부피를 구하세요.

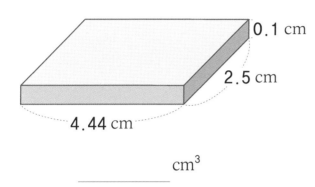

_____ cm³

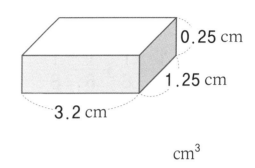

_____ cm³

4 다음을 계산하세요.

$$100 \div 2.5 \div 1.25 \div 4 \div 8$$

$$0.888 \times 125 \times 0.03$$

5 어떤 수를 3.2로 나눈 몫은 0.125와 0.25의 곱과 같습니다. 어떤 수는 얼마인가요?

_____

간편하게 계산하기-분수(1)

여러 개의 분수로 이루어진 식을 간편한 방법으로 계산해 봅시다.

$$\left(\frac{1}{2}-\frac{1}{4}\right)+\left(\frac{1}{4}-\frac{1}{6}\right)+\left(\frac{1}{6}-\frac{1}{8}\right)$$

괄호 풀기

$$=\frac{1}{2}-\frac{1}{4}+\frac{1}{4}-\frac{1}{6}+\frac{1}{6}-\frac{1}{8}$$

계산 결과가 0이 되는 수끼리
먼저 계산한 후 남은 수 계산하기

$$=\frac{1}{2}-\frac{1}{\boxed{8}}=\frac{\boxed{3}}{\boxed{8}}$$

$$\left(1+\frac{1}{2}\right)\times\left(1+\frac{1}{3}\right)\times\left(1+\frac{1}{4}\right)$$

괄호 안의 식을 먼저 계산하기

$$=\frac{\boxed{3}}{2}\times\frac{\boxed{4}}{3}\times\frac{\boxed{5}}{4}$$

약분을 이용하여 식을 간단히 한 후 남은 수 계산하기

$$=\frac{\boxed{5}}{2}=\boxed{2}\frac{\boxed{1}}{\boxed{2}}$$

계산 결과가 0, 1과 같은 수가 되도록 식을 변형하여 간편하게 계산합니다.

$$1-\left(\frac{1}{3}-\frac{1}{6}\right)-\left(\frac{1}{6}-\frac{1}{9}\right)-\left(\frac{1}{9}-\frac{1}{12}\right)$$

$$=1-\frac{1}{3}+\frac{1}{6}-\frac{1}{6}+\frac{1}{9}-\frac{1}{9}+\frac{1}{12}$$

$$=1-\frac{1}{\boxed{}}+\frac{1}{\boxed{}}=\frac{\boxed{}}{\boxed{}}=\frac{\boxed{}}{\boxed{}}$$

$$\left(1-\frac{1}{5}\right)\times\left(1-\frac{1}{6}\right)+\left(1-\frac{1}{7}\right)$$

$$=\frac{\boxed{}}{5}\times\frac{\boxed{}}{6}\times\frac{\boxed{}}{7}$$

$$=\frac{\boxed{}}{\boxed{}}$$

$$\left(\frac{1}{2}-\frac{1}{3}\right)+\left(\frac{1}{3}-\frac{1}{4}\right)+\left(\frac{1}{4}-\frac{1}{5}\right)+\left(\frac{1}{5}-\frac{1}{6}\right)$$

$$1\div\frac{1}{2}\div\frac{2}{3}\div\frac{3}{4}\div\frac{4}{5}\div\frac{5}{6}\div\frac{6}{7}\div\frac{7}{8}\div\frac{8}{9}$$

$$1\frac{1}{5}\times1\frac{1}{6}\times1\frac{1}{7}\times1\frac{1}{8}\times1\frac{1}{9}\times1\frac{1}{10}\times1\frac{1}{11}$$

$$\left(\frac{4}{7}\times2\frac{2}{9}\times\frac{6}{11}\right)\div\left(\frac{2}{11}\times\frac{2}{7}\times\frac{5}{9}\right)$$

$$\left(1+\frac{1}{2}\right)\times\left(1-\frac{1}{2}\right)\times\left(1+\frac{1}{3}\right)\times\left(1-\frac{1}{3}\right)\times\left(1+\frac{1}{4}\right)\times\left(1-\frac{1}{4}\right)$$

$$\left(1+\frac{2}{3}\right)\times\left(1+\frac{2}{4}\right)\times\left(1+\frac{2}{5}\right)\times\left(1+\frac{2}{6}\right)\times\left(1+\frac{2}{7}\right)\times\left(1+\frac{2}{8}\right)$$

1 곱해서 1이 되는 것끼리 선으로 이으세요.

$1+\dfrac{1}{2}$	$1-\dfrac{1}{5}$	$1-\dfrac{1}{9}$	$1+\dfrac{1}{6}$

$1+\dfrac{1}{4}$	$1-\dfrac{1}{7}$	$1+\dfrac{1}{8}$	$1-\dfrac{1}{3}$

2 다음을 계산하세요.

$$9\frac{1}{4}\times5\frac{1}{3}\div8\frac{4}{5}\div5\frac{1}{3}\times8\frac{4}{5}\div9\frac{1}{4}$$

$$\left(1+\frac{1}{2}\right)\times\left(1+\frac{1}{4}\right)\times\left(1+\frac{1}{6}\right)\times\left(1+\frac{1}{3}\right)\times\left(1+\frac{1}{5}\right)\times\left(1+\frac{1}{7}\right)$$

$$1\frac{13}{14}\times\left\{\left(\frac{2}{45}+\frac{4}{45}+\frac{6}{45}+\frac{8}{45}+\frac{10}{45}\right)-\left(\frac{1}{45}+\frac{3}{45}+\frac{5}{45}+\frac{7}{45}+\frac{9}{45}\right)\right\}$$

3 다음을 계산하세요.

$$(1+\frac{1}{2}) \times (1-\frac{1}{2}) \times (1+\frac{1}{3}) \times (1-\frac{1}{3}) \times \cdots\cdots \times (1+\frac{1}{9}) \times (1-\frac{1}{9})$$

$$(1+\frac{3}{4}) \times (1+\frac{3}{5}) \times (1+\frac{3}{6}) \times \cdots\cdots \times (1+\frac{3}{10}) \times (1+\frac{3}{11}) \times (1+\frac{3}{12})$$

4 형주는 6000원을 가지고 있습니다. 처음 금액의 $\frac{1}{3}$로 공책을 사고, 남은 금액의 $\frac{1}{4}$로 연필을 산 후, 나머지의 $\frac{1}{5}$로 아이스크림을 사먹었습니다. 남은 금액은 얼마일까요?

공책을 사고 남은 금액을 식으로 나타내면 다음과 같습니다.

식 $6000 \times (1-\frac{1}{3})$

공책을 사고, 연필을 사고 남은 금액을 식으로 나타내세요.

식

공책을 사고, 연필을 사고, 아이스크림을 사고 남은 금액을 식으로 나타내고 남은 금액을 구하세요.

식   **답**   원

간편하게 계산하기-분수(2)

개념
원리

두 수의 곱과 두 수의 합 또는 차로 이루어진 분수를 두 분수의 합과 차로 나타내어 봅시다.

$$3+2 \rightarrow \frac{5}{6} = \frac{3+\boxed{2}}{3\times\boxed{2}} = \frac{3}{3\times\boxed{2}} + \frac{2}{3\times\boxed{2}} = \frac{1}{\boxed{2}} + \frac{1}{3}$$
$$3\times 2$$

분모는 두 수의 곱으로, 분자는 두 수의 합으로 이루어진 1개의 분수를 2개의 분수의 합으로 나타낼 수 있습니다.

$$5-3 \rightarrow \frac{2}{15} = \frac{5-\boxed{3}}{5\times\boxed{3}} = \frac{5}{5\times\boxed{3}} - \frac{3}{5\times\boxed{3}} = \frac{1}{\boxed{3}} - \frac{1}{5}$$
$$5\times 3$$

분모는 두 수의 곱으로, 분자는 두 수의 차로 이루어진 1개의 분수를 2개의 분수의 차로 나타낼 수 있습니다.

$$\frac{1}{6} = \frac{3-\boxed{}}{3\times\boxed{}} = \frac{3}{3\times\boxed{}} - \frac{\boxed{}}{3\times\boxed{}} = \frac{1}{\boxed{}} - \frac{1}{3}$$

$$\frac{7}{12} = \frac{4+\boxed{}}{4\times\boxed{}} = \frac{4}{4\times\boxed{}} + \frac{\boxed{}}{4\times\boxed{}} = \frac{1}{\boxed{}} + \frac{1}{4}$$

$$\frac{1}{20} = \frac{5-\boxed{}}{5\times\boxed{}} = \frac{5}{5\times\boxed{}} - \frac{\boxed{}}{5\times\boxed{}} = \frac{1}{\boxed{}} - \frac{1}{5}$$

주어진 식을 간편하게 계산하세요.

1개의 분수를 2개의 분수로 나타내어

$\dfrac{1}{12}+\dfrac{1}{20}+\dfrac{1}{30}$

$=\left(\dfrac{1}{\boxed{}}-\dfrac{1}{4}\right)+\left(\dfrac{\cancel{1}}{\boxed{}}-\dfrac{1}{5}\right)+\left(\dfrac{\cancel{1}}{\boxed{}}-\dfrac{1}{6}\right)$

$=\dfrac{1}{\boxed{}}-\dfrac{1}{6}=\dfrac{1}{\boxed{}}$

$\dfrac{1}{2}+\dfrac{1}{6}+\dfrac{1}{12}=\left(\boxed{}-\dfrac{1}{2}\right)+\left(\dfrac{1}{\boxed{}}-\dfrac{1}{3}\right)+\left(\dfrac{1}{\boxed{}}-\dfrac{1}{4}\right)=\boxed{}-\dfrac{1}{4}=\dfrac{\boxed{}}{\boxed{}}$

$\dfrac{5}{6}-\dfrac{7}{12}+\dfrac{9}{20}=\left(\dfrac{1}{\boxed{}}+\dfrac{1}{3}\right)-\left(\dfrac{1}{\boxed{}}+\dfrac{1}{4}\right)+\left(\dfrac{1}{\boxed{}}+\dfrac{1}{5}\right)=\dfrac{1}{\boxed{}}+\dfrac{1}{5}=\dfrac{\boxed{}}{\boxed{}}$

$\dfrac{2}{3}+\dfrac{2}{15}+\dfrac{2}{35}=\left(\boxed{}-\dfrac{1}{3}\right)+\left(\dfrac{1}{\boxed{}}-\dfrac{1}{5}\right)+\left(\dfrac{1}{\boxed{}}-\dfrac{1}{7}\right)=\boxed{}-\dfrac{1}{7}=\dfrac{\boxed{}}{\boxed{}}$

$\dfrac{1}{30}+\dfrac{1}{42}+\dfrac{1}{56}=\left(\dfrac{1}{\boxed{}}-\dfrac{1}{6}\right)+\left(\dfrac{1}{\boxed{}}-\dfrac{1}{7}\right)+\left(\dfrac{1}{\boxed{}}-\dfrac{1}{8}\right)=\dfrac{1}{\boxed{}}-\dfrac{1}{8}=\dfrac{\boxed{}}{\boxed{}}$

1 왼쪽 분수를 두 분수의 합 또는 차로 알맞게 나타낸 것에 ◯표 하세요.

$\dfrac{5}{36}$ ┈┈┈

| $\dfrac{1}{9}+\dfrac{1}{4}$ | $\dfrac{5}{6}-\dfrac{23}{36}$ | $\dfrac{1}{4}-\dfrac{1}{9}$ |

$\dfrac{13}{42}$ ┈┈┈

| $\dfrac{5}{6}-\dfrac{5}{7}$ | $\dfrac{1}{6}+\dfrac{1}{7}$ | $\dfrac{5}{12}-\dfrac{5}{8}$ |

$\dfrac{3}{88}$ ┈┈┈

| $\dfrac{1}{12}-\dfrac{1}{9}$ | $\dfrac{3}{11}-\dfrac{3}{8}$ | $\dfrac{1}{8}-\dfrac{1}{11}$ |

2 다음을 계산하세요.

$$\dfrac{8}{15}-\dfrac{12}{35}+\dfrac{16}{63} \qquad\qquad \dfrac{11}{30}-\dfrac{9}{20}+\dfrac{7}{12}-\dfrac{5}{6}+\dfrac{1}{2}$$

$$1\dfrac{1}{20}+2\dfrac{1}{30}+3\dfrac{1}{42}+4\dfrac{1}{56}+5\dfrac{1}{72}+6\dfrac{1}{90}$$

3   다음 설명에 따라 주어진 식을 계산해 보세요.

① 분모가 두 수의 곱, 분자가 두 수의 합으로 이루어진
분수를 모두 찾아 두 분수의 합으로 나타냅니다.
② 분모가 같은 분수끼리 더합니다.

$$\frac{1}{3}+\frac{3}{4}+\frac{3}{5}+\frac{5}{7}+\frac{7}{8}+\frac{9}{20}+\frac{10}{21}+\frac{11}{24}+\frac{12}{35}$$

4   다음과 같이 간편하게 계산해 보세요.

$$\frac{1}{1\times3}+\frac{1}{3\times5}+\frac{1}{5\times7}=\frac{1}{2}\times(\frac{1}{1}-\frac{1}{3})+\frac{1}{2}\times(\frac{1}{3}-\frac{1}{5})+\frac{1}{2}\times(\frac{1}{5}-\frac{1}{7})$$
$$=\frac{1}{2}\times(\frac{1}{1}-\frac{1}{3}+\frac{1}{3}-\frac{1}{5}+\frac{1}{5}-\frac{1}{7})=\frac{1}{2}\times(1-\frac{1}{7})=\frac{3}{7}$$

$$\frac{1}{2\times4}+\frac{1}{4\times6}+\frac{1}{6\times8}+\frac{1}{8\times10}$$

$$\frac{1}{3\times6}+\frac{1}{6\times9}+\frac{1}{9\times12}+\cdots\cdots+\frac{1}{27\times30}$$

형성평가

1 ○ 안에 >, =, <를 알맞게 넣으세요.

$$2.5×(1.3+4.4) \bigcirc 2.5×1.6+2.5×4.4$$

$$0.7×5.8-0.7×1.5 \bigcirc 0.7×(5.8-1.9)$$

$$(5.04+10.44)÷3.6 \bigcirc 5.04÷3.6+8.82÷3.6$$

$$6.7×1.9+1.9×2.3 \bigcirc 1.9×8.9$$

2 곱셈을 하여 빈칸에 알맞은 수를 쓰세요.

× 2.5

1.2	
0.24	
4.88	

× 1.25

3.2	
0.56	
8.96	

3 다음 소수의 계산을 하세요.

$2.5 \times 1.25 \times 32$ 99.9×77.7

$123.123 \div 1.23 \times 12.3$

4 다음 분수의 계산을 하세요.

$1 - (\frac{1}{4} - \frac{1}{8}) - (\frac{1}{8} - \frac{1}{16}) - (\frac{1}{16} - \frac{1}{32}) - (\frac{1}{32} - \frac{1}{64})$

$(1 + \frac{1}{2}) \times (1 + \frac{1}{4}) \times (1 + \frac{1}{6}) \times (1 - \frac{1}{3}) \times (1 - \frac{1}{5}) \times (1 - \frac{1}{7})$

$1\frac{1}{2} \times 1\frac{1}{3} \times 1\frac{1}{4} \times \cdots\cdots \times 1\frac{1}{20}$

$(1 + \frac{3}{4}) \times (1 + \frac{3}{5}) \times (1 + \frac{3}{6}) \times \cdots\cdots \times (1 + \frac{3}{9})$

5 정우는 학용품을 사기 위해 어머니께 **10000**원을 받았습니다. 처음 받은 금액의 $\frac{1}{2}$로 필통을 사고, 남은 금액의 $\frac{1}{3}$로 색연필을 산 후, 나머지의 $\frac{1}{4}$로 지우개를 샀습니다. 남은 금액은 얼마일까요?

필통을 사고 남은 금액을 식으로 나타내면 다음과 같습니다.

식 $10000 \times \left(1 - \dfrac{1}{2}\right)$

필통을 사고, 색연필을 사고 남은 금액을 식으로 나타내세요.

식

필통을 사고, 색연필을 사고, 지우개를 사고 남은 금액을 식으로 나타내고 남은 금액을 구하세요.

식   답   원

6 다음을 계산하세요.

$$\frac{1}{1 \times 2} + \frac{1}{2 \times 3} + \frac{1}{3 \times 4} + \frac{1}{4 \times 5} + \cdots\cdots + \frac{1}{9 \times 10}$$

$$\frac{1}{2} - \frac{1}{6} - \frac{1}{12} - \frac{1}{20} - \frac{1}{30} - \frac{1}{42}$$

$$1 - \frac{5}{6} + \frac{7}{12} - \frac{9}{20} + \frac{11}{30} - \frac{13}{42} + \frac{15}{56} - \frac{17}{72} + \frac{19}{90}$$

정답

응용
연산

E4
초4 ~ 초5

분수와 소수의 혼합 계산

Creative to Math
씨투엠

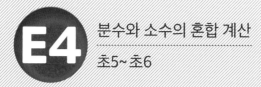

E4

분수와 소수의 혼합 계산

초5~ 초6

정답 및 길잡이

분수와 소수의 사칙 계산

6·7쪽

433 분수의 덧셈과 뺄셈

분수의 덧셈과 뺄셈을 알아봅시다.

$$\frac{7}{8}+\frac{3}{8}=\frac{\boxed{7}+\boxed{3}}{8}=\frac{\boxed{10}}{8}=\frac{\boxed{5}}{4}=\boxed{1}\frac{\boxed{1}}{4}$$

분모가 같은 분수의 덧셈과 뺄셈은 분모는 그대로 두고 분자끼리 계산합니다.
이때 계산 결과는 약분하여 기약분수로 나타내고, 가분수이면 대분수로 나타냅니다.

$$\frac{5}{6}-\frac{1}{4}=\frac{\boxed{10}}{12}-\frac{\boxed{3}}{12}=\frac{\boxed{7}}{12}$$

분모가 다른 분수의 덧셈과 뺄셈은 통분하여 분모를 같게 만들어 계산합니다.

$$\frac{6}{7}-\frac{2}{7}=\frac{\boxed{6}-\boxed{2}}{7}=\frac{\boxed{4}}{7}$$

$$\frac{2}{3}+\frac{3}{5}=\frac{\boxed{10}}{15}+\frac{\boxed{9}}{15}=\frac{\boxed{19}}{15}=\boxed{1}\frac{\boxed{4}}{15}$$

$$2\frac{5}{8}+1\frac{3}{4}=2\frac{\boxed{5}}{8}+1\frac{\boxed{6}}{8}=(2+1)+\left(\frac{\boxed{5}}{8}+\frac{\boxed{6}}{8}\right)=3\frac{\boxed{11}}{8}=4\frac{\boxed{3}}{8}$$

$$7-5\frac{1}{3}=6+\frac{\boxed{3}}{3}-5\frac{1}{3}=(6-5)+\left(\frac{\boxed{3}}{3}-\frac{\boxed{1}}{3}\right)=1\frac{\boxed{2}}{3}$$

$$\frac{4}{9}+\frac{8}{9}=1\frac{1}{3}$$

$$\frac{7}{12}-\frac{1}{3}=\frac{1}{4}$$

$$\frac{2}{3}-\frac{2}{5}=\frac{4}{15}$$

$$\frac{3}{4}+\frac{9}{10}=1\frac{13}{20}$$

$$2\frac{5}{6}+\frac{2}{3}=3\frac{1}{2}$$

$$4-1\frac{4}{5}=2\frac{1}{5}$$

$$\frac{2}{7}+4\frac{3}{8}=4\frac{37}{56}$$

$$\frac{11}{15}-\frac{7}{10}=\frac{1}{30}$$

$$4\frac{5}{6}-2\frac{1}{4}=2\frac{7}{12}$$

$$1\frac{2}{3}+3\frac{4}{7}=5\frac{5}{21}$$

$$3\frac{1}{6}+5\frac{5}{14}=8\frac{11}{21}$$

$$6\frac{11}{24}-2\frac{8}{9}=3\frac{41}{72}$$

8·9쪽

응용연산

1 빈칸에 알맞은 수를 쓰세요.

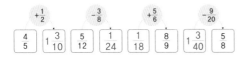

2 계산 결과의 크기를 비교하여 ◯ 안에 >, =, <를 알맞게 넣으세요.

$$1\frac{1}{21}\;\;\frac{1}{3}+\frac{5}{7}\;\gtrless\;1 \qquad \frac{13}{20}\;\frac{9}{10}-\frac{1}{4}\;\lessgtr\;\frac{3}{4}\;\frac{15}{20}$$

$$5\frac{5}{12}\;1\frac{3}{4}+3\frac{2}{3}\;\lessgtr\;5\frac{5}{6} \qquad 2\frac{11}{40}\;4\frac{3}{8}-2\frac{1}{10}\;\lessgtr\;2\frac{1}{2}$$

3 ☐ 안에 알맞은 수를 쓰세요.

$$3\frac{1}{3}-1\frac{5}{6}+2\frac{1}{4}=3\frac{\boxed{4}}{12}-1\frac{\boxed{10}}{12}+2\frac{\boxed{3}}{12}$$
$$=2\frac{\boxed{16}}{12}-1\frac{\boxed{10}}{12}+2\frac{\boxed{3}}{12}$$
$$=(2-1+2)+\left(\frac{\boxed{16}}{12}-\frac{\boxed{10}}{12}+\frac{\boxed{3}}{12}\right)=3\frac{\boxed{3}}{4}$$

4 ☐ 안에 들어갈 수 있는 분수 중에서 분자가 1인 단위분수는 모두 몇 개인지 구하세요.

$$\frac{1}{6}\;\boxed{\frac{1}{2}-\frac{1}{3}>\boxed{}>\frac{1}{4}-\frac{1}{5}}\;\frac{1}{20}$$

$$\frac{1}{7},\frac{1}{8},\frac{1}{9},\cdots\cdots,\frac{1}{19}$$

13 개

5 수 카드 3장 중에서 2장을 한 번씩 사용하여 만들 수 있는 가장 큰 진분수와 가장 작은 진분수의 합과 차를 구하려고 합니다. 식을 쓰고 계산하세요.

두 분수의 합: $\dfrac{8}{9}+\dfrac{4}{9}=1\dfrac{1}{3}$

두 분수의 차: $\dfrac{8}{9}-\dfrac{4}{9}=\dfrac{4}{9}$

6 나무 막대를 두 도막으로 잘랐더니 한 도막은 $2\frac{5}{8}$ m이고, 다른 한 도막은 $1\frac{7}{10}$ m였습니다.

나무 막대를 자르기 전의 길이는 몇 m일까요?

식 $2\frac{5}{8}+1\frac{7}{10}=4\frac{13}{40}$ 답 $4\frac{13}{40}$ m

긴 도막은 짧은 도막보다 몇 m 더 길까요?

식 $2\frac{5}{8}-1\frac{7}{10}=\frac{37}{40}$ 답 $\frac{37}{40}$ m

2일 434 C 분수의 곱셈과 나눗셈

분수의 곱셈과 나눗셈을 알아봅시다.

$$\overset{1}{\underset{\underset{4}{}}{\frac{2}{5}}} \times \frac{3}{8} = \frac{\boxed{3}}{\boxed{20}}$$

$$\frac{7}{10} \div \frac{3}{4} = \frac{7}{10} \times \frac{\boxed{4}}{\boxed{3}} = \frac{\boxed{14}}{\boxed{15}}$$

약분 약분한 후 분자는 분자끼리, 분모는 분모끼리 곱합니다.

분수의 곱셈으로 나타낸 후 계산 과정에서 약분이 되면 약분을 먼저 하고 계산합니다.

$$\frac{3}{8} \times 6 = \frac{\boxed{9}}{\boxed{4}} = 2\frac{\boxed{1}}{\boxed{4}}$$

$$\frac{7}{9} \times \frac{4}{21} = \frac{\boxed{4}}{\boxed{27}}$$

$$\frac{3}{14} \times 1\frac{1}{6} = \frac{3}{14} \times \frac{\boxed{7}}{\boxed{6}} = \frac{\boxed{1}}{\boxed{4}}$$

$$\frac{5}{12} \div \frac{5}{6} = \frac{5}{12} \times \frac{\boxed{6}}{\boxed{5}} = \frac{\boxed{1}}{\boxed{2}}$$

$$2\frac{2}{3} \div \frac{4}{5} = \frac{\boxed{8}}{\boxed{3}} \div \frac{4}{5} = \frac{\boxed{8}}{\boxed{3}} \times \frac{5}{\boxed{4}} = \frac{\boxed{10}}{\boxed{3}} = 3\frac{\boxed{1}}{\boxed{3}}$$

$$\frac{2}{9} \times 24 = 5\frac{1}{3}$$

$$\frac{1}{6} \times \frac{3}{7} = \frac{1}{14}$$

$$18 \div \frac{3}{5} = 30$$

$$\frac{15}{4} \div \frac{1}{6} = 22\frac{1}{2}$$

$$\frac{4}{11} \times \frac{5}{12} = \frac{5}{33}$$

$$\frac{18}{7} \div \frac{16}{21} = 3\frac{3}{8}$$

$$\frac{14}{15} \div \frac{8}{27} = 3\frac{3}{20}$$

$$\frac{20}{21} \times \frac{9}{14} = \frac{30}{49}$$

$$\frac{3}{4} \times 3\frac{1}{3} = 2\frac{1}{2}$$

$$4\frac{2}{9} \div \frac{2}{3} = 6\frac{1}{3}$$

$$2\frac{4}{9} \times 1\frac{11}{16} = 4\frac{1}{8}$$

$$5\frac{5}{6} \div 3\frac{1}{3} = 1\frac{3}{4}$$

응용연산

1 빈칸에 알맞은 수를 쓰세요.

2 계산 결과가 1보다 큰 것을 모두 찾아 ◯표 하세요.

나누어지는 수가 나누는 수보다 더 크면 계산 결과가 1보다 큽니다.

3 □안에 알맞은 수를 쓰세요.

$$1\frac{13}{15} \times \frac{3}{8} = \frac{21}{30}$$

$$\frac{21}{30} \div \frac{3}{8} = 1\frac{13}{15}$$

$$2\frac{1}{8} \div \frac{7}{12} = 3\frac{9}{14}$$

$$3\frac{9}{14} \times \frac{7}{12} = 2\frac{1}{8}$$

4 □안에 들어갈 수 있는 자연수를 모두 쓰세요.

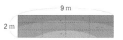

$$3\frac{6}{7} \ 1\frac{5}{7} \times 2\frac{1}{4} > \square\frac{5}{7}$$

1, 2, 3

$$\frac{8}{25} \ 1\frac{1}{15} \div 3\frac{1}{3} > \frac{\square}{25}$$

1, 2, 3, 4, 5, 6, 7

5 민수는 하루에 물을 $1\frac{1}{4}$ L씩 마십니다. 물 10 L를 마시려면 며칠이 걸릴까요?

식 $10 \div 1\frac{1}{4} = 8$ 답 8 일

6 다음과 같은 직사각형 모양의 땅을 가로로 똑같이 넷으로 나누었고, 세로로 똑같이 셋으로 나누었습니다.

9 m

2 m

나누어진 한 칸의 가로와 세로는 각각 몇 m인지 분수로 쓰세요.

가로: $2\frac{1}{4}$ m, 세로: $\frac{2}{3}$ m

한 칸의 넓이는 몇 m²인지 구하세요.

식 $\frac{9}{4} \times \frac{2}{3} = 1\frac{1}{2}$ 답 $1\frac{1}{2}$ m²

14·15쪽

C 세 분수의 곱셈과 나눗셈

개념정리

세 분수의 곱셈과 나눗셈을 알아봅시다.

$$\frac{\overset{1}{\cancel{5}}}{\underset{4}{\cancel{8}}} \times \frac{\overset{3}{\cancel{6}}}{7} \times \frac{9}{\underset{2}{\cancel{10}}} = \frac{1 \times 3 \times 9}{4 \times 7 \times 2} = \frac{27}{56}$$

먼저 약분한 후 분자는 분자끼리, 분모는 분모끼리 모두 곱합니다.

$$\frac{8}{11} \times \frac{3}{4} \div \frac{9}{13} = \frac{\overset{2}{\cancel{8}}}{11} \times \frac{\overset{1}{\cancel{3}}}{\cancel{4}} \times \frac{13}{\cancel{9}} = \frac{2 \times 1 \times 13}{11 \times 1 \times 3} = \frac{26}{33}$$

나눗셈은 분수의 곱셈으로 나타낸 후 계산 과정에서 약분이 되면 약분을 먼저 하고 계산합니다.

$$\frac{\overset{1}{\cancel{7}}}{\underset{3}{\cancel{12}}} \times \frac{5}{\underset{3}{\cancel{21}}} \times \frac{\overset{2}{\cancel{8}}}{9} = \frac{1 \times 5 \times 2}{3 \times 3 \times 9} = \frac{10}{81}$$

$$\frac{2}{3} \div \frac{5}{9} \times \frac{7}{8} = \frac{\overset{1}{\cancel{2}}}{\cancel{3}} \times \frac{\overset{3}{\cancel{9}}}{5} \times \frac{7}{\underset{4}{\cancel{8}}} = \frac{1 \times 3 \times 7}{1 \times 5 \times 4} = \frac{21}{20} = 1\frac{1}{20}$$

$$\frac{3}{5} \times 2\frac{3}{4} \div 3\frac{3}{8} = \frac{3}{5} \times \frac{11}{\underset{1}{\cancel{4}}} \times \frac{\overset{2}{\cancel{8}}}{\underset{9}{\cancel{27}}} = \frac{1 \times 11 \times 2}{5 \times 1 \times 9} = \frac{22}{45}$$

$$\frac{8}{9} \times \frac{3}{5} \times \frac{5}{16} = \frac{1}{6}$$

$$\frac{2}{3} \times \frac{6}{7} \times \frac{21}{40} = \frac{3}{10}$$

$$\frac{5}{8} \div \frac{5}{4} \times \frac{4}{7} = \frac{2}{7}$$

$$\frac{1}{4} \times \frac{3}{7} \div \frac{9}{10} = \frac{5}{42}$$

$$\frac{7}{15} \times \frac{3}{4} \times 5 = 1\frac{3}{4}$$

$$\frac{7}{8} \div \frac{5}{3} \times \frac{14}{15} = \frac{49}{100}$$

$$3\frac{1}{3} \times 12 \times \frac{7}{8} = 35$$

$$\frac{5}{7} \div 1\frac{11}{14} \div 2\frac{2}{5} = \frac{1}{6}$$

$$\frac{9}{10} \times 3\frac{1}{3} \div \frac{1}{4} = 12$$

$$\frac{9}{16} \times 1\frac{1}{2} \times \frac{4}{9} = \frac{3}{8}$$

$$6 \div 2\frac{1}{7} \times 3\frac{1}{8} = 8\frac{3}{4}$$

$$2\frac{1}{4} \div 2\frac{2}{5} \div \frac{3}{10} = 3\frac{1}{8}$$

16·17쪽

응용연산

1 사다리를 타고 내려가는 길의 계산에 맞게 빈칸에 알맞은 수를 쓰세요.

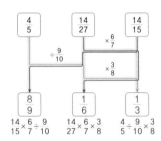

$$\frac{14}{15} \times \frac{6}{7} \div \frac{9}{10} = \frac{8}{9}$$

$$\frac{14}{27} \times \frac{6}{7} \times \frac{3}{8} = \frac{1}{6}$$

$$\frac{4}{5} \div \frac{9}{10} \times \frac{3}{8} = \frac{1}{3}$$

2 계산 결과가 작은 것부터 차례로 기호를 쓰세요.

㉠ $\frac{4}{7}$ ㉡ $\frac{4}{7} \times \frac{3}{4}$ ㉢ $\frac{4}{7} \times \frac{3}{4} \times \frac{5}{9}$

㉣ $\frac{4}{7} \times 1\frac{2}{5}$ ㉤ $\frac{4}{7} \times 1\frac{2}{5} \times 2\frac{2}{9}$

㉢, ㉡, ㉠, ㉣, ㉤

어떤 수에 1보다 작은 수를 곱하면 처음 수보다 작아지고, 1보다 큰 수를 곱하면 처음 수보다 커집니다.

3 □ 안에 들어갈 수 있는 자연수 중 1보다 큰 수를 모두 쓰세요. $\frac{9}{16} \times \frac{2}{3} \times \frac{1}{\square} < \square$

$\frac{3}{16} < \frac{1}{\square} = \frac{3}{\square \times 3}$, □=2, 3, 4, 5

2, 3, 4, 5

4 수 카드를 한 번씩 사용하여 3개의 진분수를 만들어 곱할 때 가장 작은 곱은 얼마일까요?

2	3	4	5
6	7	8	9

$\frac{1}{21}$

예 $\frac{2}{9} \times \frac{3}{8} \times \frac{4}{7} = \frac{1}{21}$

세 진분수의 곱이 가장 작으려면 분모의 곱이 가장 크고, 분자의 곱이 가장 작아야 합니다.

5 굵기가 일정한 밧줄 $\frac{3}{8}$ m의 무게가 $\frac{5}{12}$ kg입니다.

밧줄 1 m의 무게는 얼마인지 구하세요.

식 $\frac{5}{12} \div \frac{3}{8} = 1\frac{1}{9}$ 답 $1\frac{1}{9}$ kg

밧줄 $2\frac{1}{4}$ m의 무게는 얼마인지 구하세요.

식 $1\frac{1}{9} \times 2\frac{1}{4} = 2\frac{1}{2}$ 답 $2\frac{1}{2}$ kg

6 어느 초등학교 전체 학생 수의 $\frac{3}{8}$ 이 5학년입니다. 5학년 중에서 $\frac{5}{12}$ 가 남학생이고 그중에서 $\frac{6}{25}$ 이 안경을 썼습니다. 안경을 쓴 5학년 남학생은 전체 학생의 몇 분의 몇일까요?

식 $\frac{3}{8} \times \frac{5}{12} \times \frac{6}{25} = \frac{3}{80}$ 답 $\frac{3}{80}$

C 436 소수의 곱셈과 나눗셈

소수의 곱셈과 나눗셈을 알아봅시다.

$$
\begin{array}{r}
1.43 \\
\times \quad 2.1 \\
\hline
143 \\
286 \\
\hline
3.003
\end{array}
$$

$$
\begin{array}{r}
5.7 \\
1.4\overline{)7.98} \\
70 \\
\hline
98 \\
98 \\
\hline
0
\end{array}
$$

곱의 소수점 아래 자릿수는 곱하는 두 소수의 소수점 아래 자릿수를 더한 값과 같습니다.

나누는 수가 자연수가 되도록 나누어지는 수와 나누는 수의 소수점을 똑같이 오른쪽으로 한 자리씩 옮겨서 세로셈으로 계산합니다.

$$
\begin{array}{r}
3.2 \\
\times 1.6 \\
\hline
192 \\
32 \\
\hline
5.12
\end{array}
\qquad
\begin{array}{r}
4.07 \\
\times \quad 5.4 \\
\hline
1628 \\
2035 \\
\hline
21.978
\end{array}
\qquad
\begin{array}{r}
2.8 \\
3.2\overline{)8.96} \\
64 \\
\hline
256 \\
256 \\
\hline
0
\end{array}
\qquad
\begin{array}{r}
1.6 \\
0.26\overline{)0.416} \\
26 \\
\hline
156 \\
156 \\
\hline
0
\end{array}
$$

$0.8 \times 7 = 5.6$ $17 \times 0.2 = 3.4$ $0.3 \times 0.9 = 0.27$

$24 \div 0.6 = 40$ $4.5 \div 0.5 = 9$ $19.2 \div 0.8 = 24$

$$
\begin{array}{r}
4.3 \\
\times 2.7 \\
\hline
301 \\
86 \\
\hline
11.61
\end{array}
\qquad
\begin{array}{r}
9.06 \\
\times \quad 4.5 \\
\hline
4530 \\
3624 \\
\hline
40.770
\end{array}
\qquad
\begin{array}{r}
7.19 \\
\times 2.32 \\
\hline
1438 \\
2157 \\
1438 \\
\hline
16.6808
\end{array}
$$

$$
\begin{array}{r}
5.5 \\
7.42\overline{)40.81.} \\
3710 \\
\hline
3710 \\
3710 \\
\hline
0
\end{array}
\qquad
\begin{array}{r}
42.3 \\
1.8\overline{)76.1.4} \\
72 \\
\hline
41 \\
36 \\
\hline
54 \\
54 \\
\hline
0
\end{array}
\qquad
\begin{array}{r}
3.7 \\
2.54\overline{)9.39.8} \\
762 \\
\hline
1778 \\
1778 \\
\hline
0
\end{array}
$$

응용연산

1 계산 결과를 찾아 선으로 이으세요.

13.5×2.3	3.105
135×0.023	0.3105
0.135×2.3	31.05

3.84÷1.6	0.24
0.384÷1.6	2.4
3.84÷0.16	24

2 계산 결과의 크기를 비교하여 ○ 안에 >, =, <를 알맞게 넣으세요.

$$\underset{20.3}{3.5 \times 5.8} < \underset{21.46}{5.8 \times 3.7}$$

곱하는 수 중 5.8이 같으므로 나머지 수 중 더 큰 수의 곱이 큽니다.

$$\underset{3}{2.46 \div 0.82} < \underset{3.28}{2.46 \div 0.75}$$

나누어지는 수가 같으면 나누는 수가 작을수록 몫이 큽니다.

$$\underset{13.7}{5.48 \div 0.4} > \underset{12.925}{5.17 \div 0.4}$$

나누는 수가 같을수록 나누어지는 수가 클수록 몫이 큽니다.

$$14 \times 0.25 < 4 \div 0.25$$
$$16$$

1보다 작은 수를 곱하면 원래 수보다 작아지고, 1보다 작은 수로 나누면 몫은 원래수보다 커집니다.

3 다음과 같이 소수의 나눗셈을 분수의 나눗셈으로 바꾸어 계산합니다.

| 방법1 | $1.74 \div 0.3 = \dfrac{17.4}{10} \div \dfrac{3}{10} = 17.4 \div 3 = 5.8$ |
| 방법2 | $1.74 \div 0.3 = \dfrac{174}{100} \div \dfrac{30}{100} = 174 \div 30 = 5.8$ |

방법1 $3.22 \div 1.4 = \dfrac{32.2}{10} \div \dfrac{14}{10} = 32.2 \div 14 = 2.3$

방법2 $3.22 \div 1.4 = \dfrac{322}{100} \div \dfrac{140}{100} = 322 \div 140 = 2.3$

4 곱과 몫을 반올림하여 소수 둘째 자리까지 구하세요.

$6.23 \times 0.6 = 3.74$
3.738

$0.86 \times 0.18 = 0.15$
0.1548

$0.16 \div 0.3 = 0.53$
0.533……

$9 \div 2.1 = 4.29$
4.285……

5 굵기가 일정한 파이프 70 cm의 무게를 달아보니 5.8 kg이었습니다. 이 파이프 1 m의 무게는 몇 kg인지 반올림하여 소수 첫째 자리까지 구하세요.

예) $5.8 \div 0.7 = 8.28$ ……   답) 8.3 kg

6 어떤 수를 1.2로 나누어야 하는데 잘못하여 곱했더니 37.44가 되었습니다. 바르게 계산하면 얼마일까요?

$$\underline{26}$$

□×1.2=37.44, □=37.44÷1.2=31.2
31.2÷1.2=26

22·23쪽

형성평가

1 빈칸에 알맞은 수를 쓰세요.

×		
6	$\frac{1}{4}$	$1\frac{1}{2}$
$1\frac{2}{3}$	$1\frac{7}{8}$	$3\frac{1}{8}$
10	$\frac{15}{32}$	

÷		
$3\frac{1}{3}$	$\frac{5}{6}$	4
$2\frac{7}{9}$	$\frac{10}{27}$	$7\frac{1}{2}$
$1\frac{1}{5}$	$2\frac{1}{4}$	

2 수 카드 3장 중에서 2장을 한 번씩 사용하여 만들 수 있는 가장 큰 진분수와 가장 작은 진분수의 합과 차를 구하려고 합니다. 식을 쓰고 계산하세요.

6 2 5

두 분수의 합: $\dfrac{5}{6}+\dfrac{2}{6}=1\dfrac{1}{6}$

두 분수의 차: $\dfrac{5}{6}-\dfrac{2}{6}=\dfrac{1}{2}$

3 계산 결과가 1보다 작은 것을 모두 찾아 ○표 하세요.

$\dfrac{2}{3}\div\dfrac{1}{3}$ 　 $\left(\dfrac{1}{4}\div\dfrac{3}{5}\right)$ 　 $\dfrac{3}{4}\div\dfrac{5}{8}$ 　 $\left(\dfrac{5}{7}\div\dfrac{5}{6}\right)$ 　 $\dfrac{7}{12}\div\dfrac{4}{9}$

나누어지는 수가 나누는 수보다 작으면 계산 결과가 1보다 작습니다.

4 냉장고에 주스 12 L가 있습니다. 하루에 주스를 $1\frac{1}{3}$ L씩 마신다면 주스를 모두 마시는 데 며칠이 걸릴까요?

식 $12\div1\dfrac{1}{3}=9$ 　　 답 9 일

5 사다리를 타고 내려가는 길의 계산에 맞게 빈칸에 알맞은 수를 쓰세요.

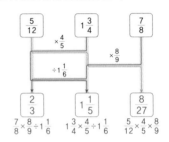

$\dfrac{5}{12}$ 　 $1\dfrac{3}{4}$ 　 $\dfrac{7}{8}$

$\times\dfrac{4}{5}$ 　 $\times\dfrac{8}{9}$

$\div1\dfrac{1}{6}$

$\dfrac{2}{3}$ 　 $1\dfrac{1}{5}$ 　 $\dfrac{8}{27}$

$\dfrac{7}{8}\times\dfrac{8}{9}\div1\dfrac{1}{6}$ 　 $1\dfrac{3}{4}\times\dfrac{4}{5}\div1\dfrac{1}{6}$ 　 $\dfrac{5}{12}\times\dfrac{4}{5}\times\dfrac{8}{9}$

6 ☐ 안에 들어갈 수 있는 자연수 중에서 1보다 큰 수를 모두 쓰세요.

$\dfrac{7}{12}\times\dfrac{8}{\Box}>\dfrac{1}{15}\times14$

$\dfrac{8}{\Box}>\dfrac{1}{15}\times14\times\dfrac{12}{7}$

$\dfrac{8}{\Box}>\dfrac{8}{5}$, $\Box=2, 3, 4$

2, 3, 4

24쪽

7 주어진 곱을 이용하여 ☐ 안에 알맞은 수를 쓰세요.

$415\times14=5810$

$4.15\times1.4=\boxed{5.81}$
$4.15\times\boxed{140}=581$
$\boxed{41.5}\times0.14=5.81$

8 곱과 몫을 반올림하여 소수 둘째 자리까지 구하세요.

$0.213\times0.4=0.09$
0.0852

$4.8\times0.31=1.49$
1.488

$2.82\div0.9=3.13$
$3.133\cdots$

$6\div1.1=5.45$
$5.454\cdots$

9 어떤 수를 2.5로 나누어야 하는데 잘못하여 곱했더니 10이 되었습니다. 바르게 계산하면 얼마일까요?

☐$\times2.5=10$, ☐$=10\div2.5=4$
$4\div2.5=1.6$

1.6

분수와 소수가 섞인 사칙 계산

26·27쪽

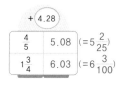 437 분수와 소수가 섞인 덧셈, 뺄셈

분수와 소수가 섞인 덧셈, 뺄셈을 계산해 봅시다.

[방법 1] $1\frac{4}{5}+2.9=\boxed{1}.\boxed{8}+2.9=\boxed{4}.\boxed{7}$

분수 $1\frac{4}{5}$ 를 소수로 고쳐서 계산합니다.

[방법 2] $1\frac{4}{5}+2.9=1\frac{4}{5}+2\frac{\boxed{9}}{10}=(1+\boxed{2})+(\frac{4}{5}+\frac{\boxed{9}}{10})$

$=\boxed{3}+(\frac{\boxed{8}}{10}+\frac{9}{10})=\boxed{4}\frac{\boxed{7}}{10}$

소수 2.9를 분수로 고쳐서 계산합니다.

[방법 1] $4.7-1\frac{1}{2}=4.7-\boxed{1}.\boxed{5}=\boxed{3}.\boxed{2}$

[방법 2] $4.7-1\frac{1}{2}=\boxed{4}\frac{\boxed{7}}{10}-1\frac{1}{2}=(\boxed{4}-1)+(\frac{\boxed{7}}{10}-\frac{1}{2})$

$=\boxed{3}+(\frac{\boxed{7}}{10}-\frac{\boxed{5}}{10})=\boxed{3}.\boxed{2}=3\frac{\boxed{1}}{5}$

[방법 1] $3\frac{1}{4}+1.65=\boxed{3}.\boxed{2}\boxed{5}+1.65=\boxed{4}.\boxed{9}$

[방법 2] $3\frac{1}{4}+1.65=3\frac{1}{4}+1\frac{\boxed{65}}{100}=(3+\boxed{1})+(\frac{1}{4}+\frac{\boxed{65}}{100})$

$=\boxed{4}+(\frac{\boxed{25}}{100}+\frac{65}{100})=\boxed{4}\frac{\boxed{90}}{100}=4\frac{\boxed{9}}{10}$

$4.5+\frac{1}{2}=5$

 분수 또는 소수로 고쳐서 계산해 보세요

$2\frac{4}{5}-1.7=1.1(=1\frac{1}{10})$

$\frac{2}{5}+1.05=1.45(=1\frac{9}{20})$

$5\frac{1}{8}-1.25=3.875(=3\frac{7}{8})$

$3.25+2\frac{9}{10}=6.15(=6\frac{3}{20})$

$\frac{2}{3}+0.4=1\frac{1}{15}$

$5.06-1\frac{17}{20}=3.21(=3\frac{21}{100})$

$2\frac{3}{4}-0.64=2.11(=2\frac{11}{100})$

$1.8+1\frac{5}{9}=3\frac{16}{45}$

$1.5+1\frac{9}{25}=2.86(=2\frac{43}{50})$

$6\frac{7}{8}-1.38=5.495(=5\frac{99}{200})$

28·29쪽

응용연산

1 분수의 덧셈과 뺄셈을 하여 빈칸에 알맞은 수를 쓰세요

+ 4.28	
$\frac{4}{5}$	5.08 $(=5\frac{2}{25})$
$1\frac{3}{4}$	6.03 $(=6\frac{3}{100})$

− $\frac{1}{3}$	
0.4	$\frac{1}{15}$
2.5	$2\frac{1}{6}$

2 계산 결과가 왼쪽 수보다 큰 것에 모두 ○표 하세요.

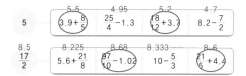

| 5 | $\underset{5.5}{3.9+\frac{8}{5}}$ | $\underset{4.95}{\frac{25}{4}-1.3}$ | $\underset{5.2}{\frac{18}{12}+3.7}$ | $\underset{4.7}{8.2-\frac{7}{2}}$ |
| $\frac{17}{2}$ | $\underset{8.225}{5.6+\frac{21}{8}}$ | $\underset{8.68}{\frac{87}{10}-1.02}$ | $\underset{8.333}{10-\frac{5}{3}}$ | $\underset{8.6}{\frac{21}{5}+4.4}$ |

○표: $3.9+\frac{8}{5}$, $\frac{18}{12}+3.7$, $\frac{87}{10}-1.02$, $\frac{21}{5}+4.4$

3 다음 조건에 맞는 수를 구하세요.

• $\frac{7}{6}$ 보다 1.75 큰 수입니다.
• 대분수입니다.

$2\frac{11}{12}$

• 5.96보다 $2\frac{7}{8}$ 작은 수입니다.
• 소수입니다.

3.085

4 다음 중 두 수의 합이 가장 큰 식과 두 수의 차가 가장 큰 식을 각각 만들고 계산하세요.

| 3.36 | $\frac{27}{8}$ | 3.18 | $3\frac{1}{5}$ |

3.375   3.2

$(=6\frac{147}{200})$

합이 가장 큰 식: 식 $\frac{27}{8}+3.36=6.735$ 답 6.735

차가 가장 큰 식: 식 $\frac{27}{8}-3.18=0.195$ 답 0.195 $(=\frac{39}{200})$

5 정우는 오늘 수학과 영어를 공부하였습니다. 수학은 $1\frac{4}{5}$시간 동안 하였고, 영어는 1.35시간 동안 하였습니다. 오늘 수학과 영어를 공부한 시간은 모두 몇 시간일까요?

식 $1\frac{4}{5}+1.35=3.15$ 답 3.15 시간 $(=3\frac{3}{20})$

6 요리사가 하루에 빵을 만드는 데 밀가루 9.5 kg을 사용합니다. 현재 밀가루가 $3\frac{1}{6}$ kg 있을 때 오늘 빵을 만들기 위해서는 밀가루가 몇 kg 더 필요한가요?

식 $9.5-3\frac{1}{6}=6\frac{1}{3}$ 답 $6\frac{1}{3}$ kg

정답 및 해설

30·31쪽

C **438** 분수와 소수가 섞인 나눗셈 (1)

분수와 소수가 섞인 (소수)÷(분수)를 계산해 봅시다.

[방법 1] $1.4 \div \dfrac{2}{5} = 1.4 \div \boxed{0}.\boxed{4} = \boxed{3}.\boxed{5}$

분수 $\dfrac{2}{5}$ 를 소수로 고쳐서 계산합니다.

[방법 2] $1.4 \div \dfrac{2}{5} = \dfrac{\boxed{14}}{10} \div \dfrac{2}{5} = \dfrac{\overset{7}{\cancel{14}}}{10} \times \dfrac{5}{\underset{1}{\cancel{2}}} = \dfrac{7}{2} = \boxed{3}\dfrac{\boxed{1}}{2}$

소수 1.4를 분수로 고쳐서 계산합니다.

[방법 1] $2.6 \div \dfrac{1}{2} = 2.6 \div \boxed{0}.\boxed{5} = \boxed{5}.\boxed{2}$

[방법 2] $2.6 \div \dfrac{1}{2} = \dfrac{\boxed{26}}{10} \div \dfrac{1}{2} = \dfrac{26}{10} \times \boxed{2} = \dfrac{26}{5} = \boxed{5}\dfrac{\boxed{1}}{5}$

[방법 1] $0.24 \div 1\dfrac{3}{5} = 0.24 \div \boxed{1}.\boxed{6} = \boxed{0}.\boxed{1}\boxed{5}$

[방법 2] $0.24 \div 1\dfrac{3}{5} = \dfrac{\boxed{24}}{100} \div \dfrac{\boxed{8}}{5} = \dfrac{24}{100} \times \dfrac{5}{\boxed{8}} = \dfrac{3}{20}$

$0.8 \div 1\dfrac{3}{5} = 0.5\left(= \dfrac{1}{2}\right)$

$1.9 \div \dfrac{1}{2} = 3.8\left(= 3\dfrac{4}{5}\right)$

$4.1 \div 1\dfrac{1}{2} = 2\dfrac{11}{15}$

$1.56 \div 1\dfrac{3}{10} = 1.2\left(= 1\dfrac{1}{5}\right)$

$1.5 \div \dfrac{1}{4} = 6$

$0.84 \div \dfrac{4}{5} = 1.05\left(= 1\dfrac{1}{20}\right)$

$1.43 \div 1\dfrac{3}{8} = 1\dfrac{1}{25}(= 1.04)$

$6.4 \div \dfrac{16}{25} = 10$

$0.8 \div \dfrac{5}{6} = \dfrac{24}{25}(= 0.96)$

$0.6 \div \dfrac{3}{4} = 0.8\left(= \dfrac{4}{5}\right)$

$5.04 \div 1\dfrac{2}{5} = 3.6\left(= 3\dfrac{3}{5}\right)$

$3.2 \div \dfrac{4}{9} = 7\dfrac{1}{5}(= 7.2)$

32·33쪽

응용연산

1 관계있는 것끼리 선으로 이으세요.

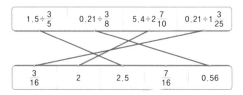

2 몫이 큰 것부터 차례로 기호를 쓰세요.

$\textcircled{\scriptsize ㉠} 1.8 \div \dfrac{3}{5}$ 　　$\textcircled{\scriptsize ㉡} 2.7 \div 2\dfrac{1}{4}$ 　　$\textcircled{\scriptsize ㉢} 3.3 \div \dfrac{3}{4}$ 　　$\textcircled{\scriptsize ㉣} 1.72 \div \dfrac{4}{5}$

3　　　　　1.2　　　　　4.4　　　　　2.15

㉢, ㉠, ㉣, ㉡

3 □안에 알맞은 수를 구하세요.

$\square \times \dfrac{4}{5} = 7.2$

9

$7.2 \div \dfrac{4}{5} = 7.2 \div 0.8 = 9$

$4\dfrac{1}{8} \times \square = 2.2$

$\dfrac{8}{15}$

$2.2 \div 4\dfrac{1}{8} = \dfrac{8}{15}$

4 평행사변형의 넓이를 보고 □안에 알맞은 수를 구하세요.

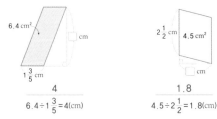

4

$6.4 \div 1\dfrac{3}{5} = 4\text{(cm)}$

1.8

$4.5 \div 2\dfrac{1}{2} = 1.8\text{(cm)}$

5 길이가 1.92 m인 철사가 있습니다. 이 철사를 $\dfrac{2}{25}$ m씩 자르면 모두 몇 도막이 되는지 구하세요.

[식] $1.92 \div \dfrac{2}{25} = 24$

[답] 24 도막

6 어떤 수를 $\dfrac{3}{10}$ 으로 나누어야 하는데 잘못하여 곱했더니 1.14가 되었습니다. 바르게 계산하면 얼마인가요?

$12\dfrac{2}{3}$

$\square \times \dfrac{3}{10} = 1.14, \ \square = \dfrac{38}{10}(= 3.8)$

$\dfrac{38}{10} \div \dfrac{3}{10} = 12\dfrac{2}{3}$

C 분수와 소수가 섞인 나눗셈 (2)

분수와 소수가 섞인 (분수)÷(소수)를 계산해 봅시다.

[방법 1] $1\frac{2}{5} \div 0.4 = \frac{7}{5} \div \frac{4}{10} = \frac{7}{5} \times \frac{\overset{1}{10}}{\underset{2}{4}} = 3\frac{1}{2}$

소수 0.4를 분수로 고쳐서 계산합니다.

[방법 2] $1\frac{2}{5} \div 0.4 = 1.4 \div 0.4 = 3.5$

분수 $1\frac{2}{5}$ 를 소수로 고쳐서 계산합니다.

[방법 1] $4\frac{1}{2} \div 0.9 = \frac{9}{2} \div \frac{9}{10} = \frac{9}{2} \times \frac{10}{9} = 5$

[방법 2] $4\frac{1}{2} \div 0.9 = 4.5 \div 0.9 = 5$

[방법 1] $1\frac{3}{4} \div 0.07 = \frac{7}{4} \div \frac{7}{100} = \frac{7}{4} \times \frac{100}{7} = 25$

[방법 2] $1\frac{3}{4} \div 0.07 = 1.75 \div 0.07 = 25$

$6\frac{2}{5} \div 0.8 = 8$

$1\frac{1}{2} \div 0.5 = 3$

$\frac{1}{6} \div 0.7 = \frac{5}{21}$

$1\frac{4}{5} \div 3.6 = 0.5\left(=\frac{1}{2}\right)$

$3\frac{1}{2} \div 0.25 = 14$

$\frac{2}{3} \div 0.6 = 1\frac{1}{9}$

$2\frac{1}{4} \div 0.3 = 7.5\left(=7\frac{1}{2}\right)$

$1\frac{3}{25} \div 1.6 = \frac{7}{10}(=0.7)$

$1\frac{1}{20} \div 0.3 = 3.5\left(=3\frac{1}{2}\right)$

$2\frac{3}{8} \div 2.5 = \frac{19}{20}(=0.95)$

$\frac{3}{10} \div 1.35 = \frac{2}{9}$

$\frac{5}{8} \div 0.25 = 2.5\left(=2\frac{1}{2}\right)$

응용연산

1 (분수)÷(소수)를 계산하여 빈칸에 쓰세요.

$\frac{9}{20}$ ÷ 0.6 → $0.75\left(=\frac{3}{4}\right)$
0.06 → $7.5\left(=7\frac{1}{2}\right)$
0.006 → 75

$4\frac{2}{5}$ ÷ 2.5 → $1.76\left(=1\frac{19}{25}\right)$
0.25 → 17.6
0.025 → $176\left(=17\frac{3}{5}\right)$

2 계산 결과가 조건에 맞는 것에 ○표 하세요.

나누어지는 수가 나누는 수보다 크면 몫이 1보다 큽니다.

몫이 1보다 큰 식	$\frac{1}{5} \div 0.5$	$5\frac{7}{10} \div 9.5$	$\left(17\frac{}{25} \div 0.4\right)$	$3\frac{39}{50} \div 4.2$
	0.4	0.6	1.7	0.9

몫이 1보다 작은 식	$\frac{1}{2} \div 0.4$	$\left(\frac{63}{100} \div 1.5\right)$	$1\frac{1}{20} \div 0.3$	$\frac{4}{5} \div 0.2$
	1.25	0.42	3.5	4

나누어지는 수가 나누는 수보다 작으면 몫이 1보다 작습니다.

3 분수를 소수로 고쳐서 계산하세요. 소수로 나누어떨어지지 않으면 반올림하여 소수 둘째 자리까지 나타내세요.

$2\frac{1}{2} \div 0.3 = 8.33$
2.5÷0.3=8.333……

$\frac{3}{4} \div 0.4 = 1.88$
0.75÷0.4=1.875

$\frac{2}{5} \div 0.6 = 0.67$
0.4÷0.6=0.666……

$3\frac{5}{8} \div 0.9 = 4.03$
3.625÷0.9=4.0277……

4 다음 삼각형의 넓이는 $5\frac{1}{4}$ cm²입니다. 삼각형의 높이는 몇 cm일까요?

$7\frac{1}{2}$ cm $(=7.5)$

1.4 cm

$1.4 \times \square \div 2 = 5\frac{1}{4}$

$1.4 \times \square = \frac{21}{4} \times 2$

$\square = \frac{21}{2} \div 1.4 = \frac{21}{2} \times \frac{10}{14} = 7\frac{1}{2}$ (cm)

5 하준이는 1.8시간 동안 $10\frac{1}{2}$ km를 걸었습니다. 같은 빠르기로 걷는다면 1시간에 몇 km를 걸을 수 있을까요?

식 $10\frac{1}{2} \div 1.8 = 5\frac{5}{6}$ 답 $5\frac{5}{6}$ km

6 $2\frac{2}{5}$ L만큼 들어 있는 우유 통이 있습니다. 0.4 L씩 컵에 나누어 담으려면 몇 개의 컵이 필요할까요?

식 $2\frac{2}{5} \div 0.4 = 6$ 답 6 개

정답 및 해설 **9**

38·39쪽

C 440 4일 간편한 방법으로 고쳐 계산하기

개념원리

분수와 소수가 섞인 덧셈, 뺄셈, 곱셈, 나눗셈을 간편한 방법으로 계산해 봅시다.

((분수), 소수)로 고쳐 계산하기

$$0.7 \times \frac{2}{3} = \frac{7}{10} \times \frac{2}{3} = \frac{7}{15}$$

$\frac{2}{3}$는 소수로 정확히 고칠 수 없으므로 0.7을 분수로 고쳐 계산합니다.

(분수 , (소수))로 고쳐 계산하기

$$\frac{1}{4} + 5.2 = \boxed{0}.\boxed{2}\boxed{5} + 5.2 = \boxed{5}.\boxed{4}\boxed{5}$$

5.2를 분수로 고치면 분수의 덧셈을 할 때 통분을 하게 되어 계산이 길어집니다.

그러나 $\frac{1}{4}$은 소수로 쉽게 고칠 수 있고, 소수의 덧셈은 자연수의 덧셈과 같이 간편하게 계산할 수 있습니다.

((분수), 소수)로 고쳐 계산하기

$$\frac{1}{6} \times 0.2 = \frac{1}{6} \times \frac{\boxed{2}}{\boxed{10}} = \frac{1}{30}$$

(분수 , (소수))로 고쳐 계산하기

$$4.5 - 1\frac{3}{5} = 4.5 - \boxed{1}.\boxed{6} = \boxed{2}.\boxed{9}$$

((분수), 소수)로 고쳐 계산하기

$$1\frac{1}{2} \div 0.7 = \frac{\boxed{3}}{2} \div \frac{\boxed{7}}{10} = \frac{3}{2} \times \frac{10}{\boxed{7}} = \frac{\boxed{15}}{7} = \boxed{2}\frac{\boxed{1}}{7}$$

$$6.2 + \frac{3}{4} = 6.95\left(=6\frac{19}{20}\right)$$

$$\frac{2}{5} \times 0.7 = 0.28\left(=\frac{7}{25}\right)$$

$$\frac{5}{6} \div 3.5 = \frac{5}{21}$$

$$\frac{5}{7} + 0.4 = 1\frac{4}{35}$$

$$2.2 \div \frac{4}{5} = 2.75\left(=2\frac{3}{4}\right)$$

$$4.1 - 1\frac{1}{2} = 2.6\left(=2\frac{3}{5}\right)$$

$$3\frac{11}{20} - 1.07 = 2.48\left(=2\frac{12}{25}\right)$$

$$1\frac{1}{5} \div 0.72 = 1\frac{2}{3}$$

$$0.15 \times \frac{18}{25} = \frac{27}{250}(=0.108)$$

$$1.3 \div 3\frac{7}{15} = \frac{3}{8}(=0.375)$$

$$4.675 + 3\frac{1}{8} = 7.8\left(=7\frac{4}{5}\right)$$

$$3\frac{3}{4} \times 12.8 = 48$$

40·41쪽

응용연산

1 관계있는 것끼리 선으로 이으세요.

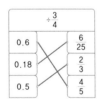

$\div \frac{3}{4}$

0.6	$\frac{6}{25}$
0.18	$\frac{2}{3}$
0.5	$\frac{4}{5}$

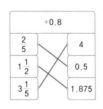

$\div 0.8$

$\frac{2}{5}$	4
$1\frac{1}{2}$	0.5
$3\frac{1}{5}$	1.875

2 ○ 안에 +, −, ×, ÷ 를 알맞게 넣으세요.

$$4.2 \boxed{-} \frac{3}{2} = 2.7$$

$$4.2 \boxed{\times} \frac{3}{2} = 6\frac{3}{10}$$

$$4.2 \boxed{+} \frac{3}{2} = 5.7$$

$$4.2 \boxed{\div} \frac{3}{2} = 2\frac{4}{5}$$

3 계산 결과가 주어진 범위에 포함되는 식을 찾아 기호를 쓰세요.

| 4.5 | 0.072 | 2.033…… | 3 |

$$\boxed{\ominus 6.25 - 1\frac{3}{4} \quad \boxed{\cup} \frac{2}{25} \times 0.9 \quad \boxed{\complement} 1.2 + \frac{5}{6} \quad \boxed{\ominus} 1\frac{7}{50} \div 0.38}$$

2 이상 3 미만: ㉢   4 초과 6 이하: ㉠

4 다음 중 계산 결과를 소수로 정확하게 나타낼 수 없는 것을 모두 찾아 기호를 쓰세요.

15.5 $\frac{59}{30} = 1.9666……$ 13.5

| ㉠ $6\frac{1}{5} \div 0.4$ | ㉡ $1\frac{1}{6} + 0.8$ | ㉢ $3\frac{6}{7} \times 3.5$ |
| ㉣ $3.7 - \frac{7}{25}$ | ㉤ $2.1 \div 1\frac{1}{3}$ | ㉥ $4\frac{1}{6} \div 1.5$ |

㉡, ㉥

3.42 $\frac{63}{40} = 1.575$ $\frac{25}{9} = 2.777……$

5 넓이가 16.8 cm²인 마름모의 다른 대각선의 길이를 구하세요.

$$4\frac{2}{3} \times \square \div 2 = 16.8$$

$$\frac{14}{3} \times \square = 16.8 \times 2$$

$$\square = 33.6 \div \frac{14}{3} = \frac{336}{10} \times \frac{3}{14} = 7\frac{1}{5}\text{(cm)}$$

$7\frac{1}{5}$ cm $(=7.2)$

6 $3\frac{1}{2} \div 0.6$의 몫을 구하는 방법을 가장 알맞게 설명한 사람의 이름을 쓰세요.

$3\frac{1}{2}$은 소수로 간단히 바꿀 수 없으니까 소수로 고쳐서 계산해요.
슬기

$3\frac{1}{2}$와 0.6으로 잘 나누어떨어지지 않을 것 같아 0.6을 분수로 바꾸어 계산해요.
승희

$3\frac{1}{2}$은 소수로, 0.6은 분수로 고쳐서 계산해요.
정호

승희

$$3\frac{1}{2} \div 0.6 = \frac{7}{2} \div \frac{6}{10} = \frac{7}{2} \times \frac{10}{6} = \frac{35}{6} = 5\frac{5}{6}$$

42·43쪽

형성평가

1 빈칸에 알맞은 수를 쓰세요

+ (2.85)		
$\frac{3}{5}$	3.45	$(=3\frac{9}{20})$
$1\frac{1}{2}$	4.35	$(=4\frac{7}{20})$

− ($\frac{2}{3}$)	
0.8	$\frac{2}{15}$
1.5	$\frac{5}{6}$

2 다음 조건에 맞는 수를 구하세요.

- $\frac{3}{4}$ 보다 3.65 큰 수입니다.
- 소수입니다.

4.4

- 5.5보다 $2\frac{1}{6}$ 작은 수입니다.
- 분수입니다.

$3\frac{1}{3}$

3 다음 중 두 수의 합이 가장 큰 식과 두 수의 차가 가장 큰 식을 각각 만들고 계산하세요.

4.4		4.625	
$4\frac{2}{5}$	4.08	$\frac{37}{8}$	4.5

합이 가장 큰 식: 圖 $\frac{37}{8}+4.5=9.125$ 圖 $9.125(=9\frac{1}{8})$

차가 가장 큰 식: 圖 $\frac{37}{8}-4.08=0.545$ 圖 $0.545(=\frac{109}{200})$

4 □ 안에 알맞은 수를 구하세요.

$\square \times \frac{3}{4}=1.2$

$1\frac{3}{5}(=1.6)$

$1\frac{1}{2}\times\square=1.8$

$1.2(=1\frac{1}{5})$

5 콩이 $3\frac{3}{4}$ kg이 있습니다. 한 봉지에 0.75kg씩 나누어 담으면 콩은 모두 몇 봉지가 될까요?

圖 $3\frac{3}{4}\div0.75=5$ 圖 5 봉지

6 분수를 소수로 고쳐서 계산할 때 나누어떨어지는 것에 ○표 하세요.

$1\frac{1}{3}\div0.4$	$\frac{1}{8}\div0.75$	⬭$\frac{3}{4}\div0.25$⬭	$\frac{4}{5}\div0.6$
0.1666……		3	1.333……

분수를 소수 몇 자리 수로 나타낼 수 없습니다.

44쪽

7 ○ 안에 +, −, ×, ÷를 알맞게 넣으세요.

$5.4 \,⊗\, \frac{3}{4}=4\frac{1}{20}$

$5.4 \,⊖\, \frac{3}{4}=4.65$

$5.4 \,⊕\, \frac{3}{4}=6.15$

$5.4 \,⊘\, \frac{3}{4}=7\frac{1}{5}$

8 다음 삼각형의 넓이는 $6\frac{1}{4}$ cm²입니다. 삼각형의 높이는 몇 cm일까요?

2.5 cm

5 cm

$2.5\times\square\div2=6\frac{1}{4}$

$2.5\times\square=\frac{25}{4}\times2$

$\square=\frac{25}{2}\div2.5=\frac{25}{2}\times\frac{10}{25}=5$(cm)

9 민수는 2.5시간 동안 $9\frac{1}{6}$ km를 걸었습니다. 같은 빠르기로 걷는다면 1시간에 몇 km를 걸을 수 있을까요?

圖 $9\frac{1}{6}\div2.5=3\frac{2}{3}$ 圖 $3\frac{2}{3}$ km

분수와 소수의 혼합 계산

C 441 분수의 혼합 계산

덧셈, 뺄셈, 곱셈, 나눗셈, ( )가 섞여 있는 식의 분수의 계산을 알아봅시다.

$$1\frac{1}{2} \div 2\frac{1}{4} + \frac{2}{3}$$
$$= \frac{\boxed{3}}{\boxed{2}} \div \frac{\boxed{9}}{4} + \frac{2}{3}$$
$$= \frac{\boxed{3}}{2} \times \frac{4}{\boxed{9}} + \frac{2}{3}$$
$$= \frac{\boxed{2}}{3} + \frac{2}{3} = \frac{\boxed{4}}{3} = 1\frac{\boxed{1}}{3}$$

$$\frac{4}{5} \times \left(\frac{3}{4} + 1\frac{1}{8}\right)$$
$$= \frac{4}{5} \times \left(\frac{3}{4} + \frac{\boxed{9}}{8}\right)$$
$$= \frac{4}{5} \times \left(\frac{\boxed{6}}{8} + \frac{9}{8}\right)$$
$$= \frac{\boxed{4}}{5} \times \frac{\boxed{15}}{\boxed{8}} = \frac{3}{\boxed{2}} = 1\frac{\boxed{1}}{\boxed{2}}$$

곱셈과 나눗셈 계산을 한 후 덧셈 또는 뺄셈을 앞에서부터 계산합니다.

( )안을 가장 먼저 계산하고, 곱셈과 나눗셈 계산을 한 후 마지막으로 덧셈 또는 뺄셈을 앞에서부터 계산합니다.

$$\frac{3}{8} + 1\frac{2}{3} \times \frac{9}{10}$$
$$= \frac{3}{8} + \frac{\boxed{5}}{3} \times \frac{9}{10}$$
$$= \frac{3}{8} + \frac{\boxed{3}}{2} = \frac{3}{8} + \frac{\boxed{12}}{8}$$
$$= \frac{\boxed{15}}{8} = 1\frac{\boxed{7}}{8}$$

$$\left(3\frac{5}{6} - 1\frac{8}{9}\right) \div \frac{5}{6}$$
$$= \left(\frac{\boxed{23}}{6} - \frac{\boxed{17}}{9}\right) \div \frac{5}{6}$$
$$= \left(\frac{\boxed{69}}{18} - \frac{\boxed{34}}{18}\right) \div \frac{5}{6}$$
$$= \frac{\boxed{35}}{18} \times \frac{6}{5} = \frac{7}{\boxed{3}} = 2\frac{\boxed{1}}{\boxed{3}}$$

$$3\frac{1}{4} - \left(1\frac{7}{8} - \frac{3}{4}\right) = 2\frac{1}{8}$$

$$2\frac{4}{7} - \frac{6}{7} \div \frac{2}{5} = \frac{3}{7}$$

$$2\frac{1}{4} + \frac{7}{20} \times \frac{15}{28} = 2\frac{7}{16}$$

$$\left(\frac{1}{3} + \frac{1}{4}\right) \times \frac{9}{14} = \frac{3}{8}$$

$$1\frac{3}{7} \times \left(1\frac{1}{6} + \frac{7}{12}\right) = 2\frac{1}{2}$$

$$7\frac{2}{3} - 3\frac{1}{9} \times 1\frac{7}{8} = 1\frac{5}{6}$$

$$4\frac{4}{9} - \left(3\frac{2}{9} + 1\frac{2}{3}\right) \div 4 = 3\frac{2}{9}$$

$$20 \div \left(1\frac{1}{2} + \frac{3}{8}\right) \times 1\frac{1}{8} = 12$$

$$\frac{14}{15} \div 1\frac{1}{6} \times 10 - 2\frac{5}{8} = 5\frac{3}{8}$$

$$\frac{3}{5} \div \frac{4}{7} - \left(\frac{3}{10} + \frac{1}{2}\right) = \frac{1}{4}$$

$$\frac{5}{12} \times \frac{3}{10} + 1\frac{1}{4} \div 2\frac{1}{7} = \frac{17}{24}$$

$$\frac{1}{6} - \frac{3}{5} \div \left(\frac{9}{4} \times 2\frac{2}{5}\right) = \frac{1}{18}$$

응용연산

1 ☐안에 들어갈 수 있는 자연수를 모두 쓰세요.

$$1\frac{1}{9} \quad \boxed{1\frac{1}{3} - \frac{1}{4} \div 1\frac{1}{8} < \square < 3\frac{1}{3} \times \left(2\frac{3}{5} - \frac{7}{10}\right)} \quad 6\frac{1}{3} \quad 2, 3, 4, 5, 6$$

2 계산 순서를 바꾸어도 계산 결과가 달라지지 않는 것을 모두 찾아 ○표 하세요.

$\frac{6}{25} + \frac{2}{5} \div 1\frac{1}{3}$	$\left(2\frac{3}{4} + 2\frac{7}{10} - \frac{3}{5}\right)$	$3\frac{7}{8} - \frac{1}{2} + 2\frac{3}{4}$
$\frac{5}{7} \div \frac{9}{14} + \frac{2}{3}$	$3\frac{1}{5} - 1\frac{1}{2} \times \frac{5}{6}$	$\left(\frac{2}{9} \times 1\frac{1}{2} \div \frac{1}{6}\right)$

3 ☐안에 알맞은 수를 구하세요.

$$\boxed{\frac{4}{25}} \xrightarrow{\div \frac{1}{5}} \boxed{\frac{4}{5}} \xrightarrow{\div 2\frac{1}{2}} \boxed{\frac{8}{25}} \xrightarrow{+\frac{2}{5}} \boxed{\frac{18}{25}}$$

$$\boxed{\frac{1}{2}} \xrightarrow[\div 1\frac{1}{3}]{\times 1\frac{1}{3}} \boxed{\frac{2}{3}} \xrightarrow{-\frac{2}{9}} \boxed{\frac{4}{9}} \xrightarrow{\div 1\frac{1}{6}} \boxed{\frac{8}{21}}$$

$$\boxed{\frac{9}{20}} \xrightarrow[\times \frac{3}{5}]{\div \frac{3}{5}} \boxed{\frac{3}{4}} \xrightarrow{\times 1\frac{3}{5}} \boxed{1\frac{1}{5}} \xrightarrow[+\frac{7}{10}]{-\frac{7}{10}} \boxed{\frac{1}{2}}$$

4 다음과 같은 방법으로 계산해 보세요.

$$\frac{4}{5} \times 1\frac{1}{6} - \frac{4}{5} \times \frac{2}{3} = \frac{4}{5} \times \left(1\frac{1}{6} - \frac{2}{3}\right)$$
$$= \frac{4}{5} \times \left(\frac{7}{6} - \frac{4}{6}\right)$$
$$= \frac{4}{5} \times \frac{3}{6}$$
$$= \frac{2}{5}$$

$$3\frac{1}{3} \times 2\frac{3}{5} - 3\frac{1}{3} \times \frac{9}{10}$$
$$= 3\frac{1}{3} \times \left(2\frac{3}{5} - \frac{9}{10}\right)$$
$$= \frac{10}{3} \times \left(\frac{26}{10} - \frac{9}{10}\right)$$
$$= \frac{10}{3} \times \frac{17}{10} = \frac{17}{3} = 5\frac{2}{3}$$

5 길이가 $8\frac{2}{3}$ m인 끈으로 리본을 만들려고 합니다. 이 중에서 $2\frac{1}{4}$ m를 잘라서 긴 리본을 만들고 나머지를 $\frac{11}{12}$ m씩 잘라서 작은 리본을 만들때 작은 리본은 몇 개 만들 수 있을까요?

식 $\underline{\left(8\frac{2}{3} - 2\frac{1}{4}\right) \div \frac{11}{12} = 7}$ 답 $\underline{\quad 7 \quad}$ 개

6 병호는 어제 책 한 권의 $\frac{1}{4}$ 을 읽었고, 오늘은 어제 읽고 난 나머지의 $\frac{1}{6}$ 을 읽었습니다.

어제와 오늘 읽은 양은 책 전체의 얼마인가요?

$$\frac{1}{4} + \frac{3}{4} \times \frac{1}{6} = \frac{3}{8} \qquad \frac{3}{8}$$

책 한 권이 240쪽일 때, 어제와 오늘 읽고 난 나머지는 몇 쪽인가요?

$$240 \times \frac{5}{8} = 150(쪽) \qquad 150 \text{ 쪽}$$

소수의 혼합 계산

덧셈, 뺄셈, 곱셈, 나눗셈, ( )가 섞여 있는 식의 소수의 계산을 알아봅시다.

$$4.1-2.8\times0.5=4.1-\boxed{1.4}=\boxed{2.7}$$

곱셈과 나눗셈을 계산을 한 후 덧셈 또는 뺄셈을 앞에서부터 계산합니다.

$$0.78\div(8.3-5.7)+3.6=0.78\div\boxed{2.6}+3.6$$
$$=\boxed{0.3}+3.6=\boxed{3.9}$$

[ ] 안을 가장 먼저 계산하고, 곱셈과 나눗셈 계산을 한 후 마지막으로 덧셈 또는 뺄셈을 앞에서부터 계산합니다.

$$5.7+1.8\div1.5=5.7+\boxed{1.2}=\boxed{6.9}$$

$$0.3\times(4.8-2.3)=0.3\times\boxed{2.5}=\boxed{0.75}$$

$$(3.56-1.32)\div1.4=\boxed{2.24}\div1.4=\boxed{1.6}$$

$$0.7\times0.8+4.8\div3.2=\boxed{0.56}+\boxed{1.5}=\boxed{2.06}$$

$$8.4-0.6\times(0.92\div0.4)=8.4-0.6\times\boxed{2.3}$$
$$=8.4-\boxed{1.38}=\boxed{7.02}$$

$$7.6+1.4\times0.7=8.58$$

$$5.4-(3.4-1.8)=3.8$$

$$1.3\times0.2\div0.4=0.65$$

$$4.2\div(0.5\times7)=1.2$$

$$0.5\times(8.47-2.45)=3.01$$

$$(8.9+3.7)\div0.6=21$$

$$4.8\times0.5\div0.2-7.8=4.2$$

$$7.2+(4.7-3.02)\div2.1=8$$

$$9.2\times0.4-0.63\div0.7=2.78$$

$$12.8-6.1\times(5.2-4.7)=9.75$$

$$3.9\div(0.7+0.8)\times0.5-0.9=0.4$$

$$1.2\times1.2\div(0.2\times0.3)-(2.8+3.3)=17.9$$

응용연산

1 계산 결과가 같은 것끼리 선으로 이으세요.

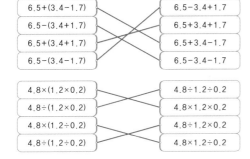

6.5+(3.4-1.7)	6.5-3.4+1.7
6.5-(3.4+1.7)	6.5+3.4+1.7
6.5+(3.4+1.7)	6.5+3.4-1.7
6.5-(3.4-1.7)	6.5-3.4-1.7

4.8×(1.2×0.2)	4.8÷1.2÷0.2
4.8÷(1.2×0.2)	4.8×1.2×0.2
4.8×(1.2÷0.2)	4.8÷1.2×0.2
4.8÷(1.2÷0.2)	4.8×1.2÷0.2

2 ○안에 >, =, <를 알맞게 넣으세요.

$$(8.7+4.5)\times0.8 < (8.7+4.5)\div0.8$$
$$10.56 \qquad\qquad 16.5$$

$$(5.8+4.85)\times1.5 > (5.8+4.85)\div1.5$$
$$15.975 \qquad\qquad 7.1$$

어떤 수를 1보다 작은 수로 나누면 어떤 수보다 커지고, 어떤 수를 1보다 큰 수로 나누면 어떤 수보다 작아집니다.

$$8.4\times0.6-2.3 < 8.4\div0.6-2.3$$
$$2.74 \qquad\qquad 11.7$$

$$4.08\times1.2-1.7 > 4.08\div1.2-1.7$$
$$3.196 \qquad\qquad 1.7$$

3 같은 모양은 같은 수를, 다른 모양은 다른 수를 나타낼 때 각 모양이 나타내는 수를 구하세요.

| ●×●=0.16 | ■+■=5 |
| ●-▲=0.23 | ◆×■=2 |

● = 0.4 , ▲ = 0.17   ■ = 2.5 , ◆ = 0.8

| ♣×♣=1.44 | ⬠×⬡×⬠=0.008 |
| ◆+0.5=♣ | ⬠÷★=0.4 |

♣ = 1.2 , ◆ = 0.7   ⬠ = 0.2 , ★ = 0.5

어떤 수에 1보다 작은 수를 곱하면 어떤 수보다 작아지고, 어떤 수에 1보다 큰 수를 곱하면 어떤 수보다 커집니다.

4 주어진 수를 한 번씩 사용하여 계산 결과가 가장 큰 식을 만들고 계산하세요.

| 0.2 | 0.4 |
| 0.6 | 0.8 |

$$0.8+0.6\times0.4-0.2=0.84$$
또는 0.4   0.6

$$0.8\times(0.4+0.6)\div0.2=4$$
또는 0.6   0.4

5 공책의 무게는 연필의 무게의 5.4배이고, 지우개의 무게는 연필의 무게의 2.6배입니다. 연필의 무게가 6.5 g이라면 공책과 지우개의 무게의 차는 몇 g인지 구하세요.

식 $6.5\times5.4-6.5\times2.6=18.2$ 답 18.2 g

54·55쪽

3일 443 분수와 소수가 섞인 혼합 계산 (1)

덧셈, 뺄셈, 곱셈, 나눗셈, ( )가 섞여 있고, 분수와 소수가 섞여 있는 식의 계산을 알아봅시다.

[방법 1]
$$\frac{3}{4}+0.5\div\frac{2}{5}=\boxed{0.75}+0.5\div\boxed{0.4}=\boxed{0.75}+\boxed{1.25}=\boxed{2}$$

분수를 소수로 고친 후 혼합 계산의 순서에 따라 계산합니다.

[방법 2]
$$\frac{3}{4}+0.5\div\frac{2}{5}=\frac{3}{4}+\boxed{\frac{5}{10}}\div\frac{2}{5}=\frac{3}{4}+\boxed{\frac{5}{10}}\times\frac{\overset{1}{5}}{2}$$
$$=\frac{3}{4}+\boxed{\frac{5}{4}}=\boxed{\frac{8}{4}}=\boxed{2}$$

소수를 분수로 고친 후 혼합 계산의 순서에 따라 계산합니다.

[방법 1]
$$1\frac{1}{2}\times0.4\div1.5=\boxed{1.5}\times0.4\div1.5=\boxed{0.6}\div1.5=\boxed{0.4}$$

[방법 2]
$$1\frac{1}{2}\times0.4\div1.5=\frac{3}{2}\times\frac{4}{10}\div\frac{15}{10}=\boxed{\frac{3}{5}}\div\frac{15}{10}$$
$$=\frac{3}{5}\times\frac{10}{15}=\boxed{\frac{2}{5}}$$

$$3.5\times\frac{4}{5}-0.3\div\frac{1}{4}=3.5\times\boxed{0.8}-0.3\div\boxed{0.25}$$
$$=\boxed{2.8}-\boxed{1.2}=\boxed{1.6}$$

$$8.2-(1\frac{4}{5}+2.6)=3.8(=3\frac{4}{5})$$

$$2.72\div\frac{4}{5}-1\frac{4}{5}=1.6(=1\frac{3}{5})$$

$$1.1\times1.6\div\frac{1}{2}=3.52(=3\frac{13}{25})$$

$$3\frac{4}{7}-4.5\times\frac{4}{9}=1\frac{4}{7}$$

$$\frac{8}{9}-0.8\times\frac{1}{6}\div1.2=\frac{7}{9}$$

$$2\frac{1}{6}-(1\frac{1}{3}\times1.5-\frac{1}{6})=\frac{1}{3}$$

$$(2\frac{1}{2}+1.25)\div\frac{1}{4}=15$$

$$1\frac{7}{16}\div(2.5+\frac{3}{8})=\frac{1}{2}(=0.5)$$

$$1\frac{1}{2}\times0.3\div0.5=\frac{9}{10}(=0.9)$$

$$\frac{3}{8}+0.25\div\frac{5}{12}$$
$$=\frac{39}{40}(=0.975)$$

$$0.4\div\frac{4}{5}+\frac{3}{5}\times3.5$$
$$=2.6(=2\frac{3}{5})$$

$$(2\frac{1}{4}-0.35)\div\frac{1}{2}\times0.7$$
$$=2.66(=2\frac{33}{50})$$

56·57쪽

응용연산

1 계산 결과가 같은 것 2개를 골라 ○표 하세요.

4.82	$1\frac{3}{5}\times0.2+4.5$
1.22	$(1\frac{3}{5}+4.5)\times0.2$ ⃝
2.5	$\frac{8}{5}+4.5\times0.2$
30.5	$(1\frac{3}{5}+4.5)\div0.2$
1.22	$\frac{8}{5}\times0.2+4.5\times0.2$ ⃝

$\frac{1}{2}\div0.4\div1\frac{1}{4}$ ⃝	1
$\frac{1}{2}\div0.4\times1\frac{1}{4}$	1.5625
$0.4\div1\frac{1}{4}\times\frac{1}{2}$	0.16
$1\frac{1}{4}\div0.4\div\frac{1}{2}$	6.25
$\frac{4}{5}\times\frac{1}{2}\div0.4$ ⃝	1

2 ○안에 >, =, <를 알맞게 넣으세요.

$$2.2 \quad 3\frac{2}{5}-1.6\times\frac{3}{4} \;\boxed{>}\; (3\frac{2}{5}-1.6)\times\frac{3}{4} \quad 1.35$$

$$3\frac{11}{15} \quad 6\div1\frac{4}{5}+0.4 \;\boxed{>}\; 6\div(1\frac{4}{5}+0.4) \quad 2\frac{8}{11}$$

3 사다리꼴의 넓이를 구하세요.

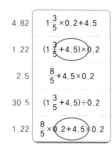

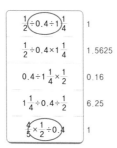

$$7.67(=7\frac{67}{100})cm^2$$

$(2\frac{1}{2}+3\frac{2}{5})\times2.6\div2=7.67(cm^2)$

$$10\frac{2}{5}(=10.4)cm^2$$

$(3.8+5\frac{4}{5})\times2\frac{1}{6}\div2=10\frac{2}{5}(cm^2)$

4 어떤 수에 3.5를 곱한 후 $2\frac{1}{4}$로 나누었더니 $3\frac{1}{3}$이 되었습니다. 어떤 수는 얼마일까요?

$$\boxed{}\times3.5\div2\frac{1}{4}=3\frac{1}{3}$$
$$\boxed{}\times3.5=\frac{10}{3}\times\frac{9}{4}$$
$$\boxed{}=\frac{15}{2}\div3.5=\frac{15}{2}\div\frac{35}{10}=\frac{15}{2}\times\frac{10}{35}=2\frac{1}{7}$$

$$2\frac{1}{7}$$

5 가방의 무게는 3.4 kg이고, 물통의 무게는 $1\frac{1}{4}$ kg입니다. 가방과 물통의 무게를 더한 값은 나무 상자의 무게의 3배라고 할 때, 나무 상자의 무게는 몇 kg인지 구하세요.

식 $$(3.4+1\frac{1}{4})\div3=1.55$$

$(3.4+1.25)\div3=4.65\div3=1.55(kg)$

답 $$1.55 \text{ kg}$$
$$(=1\frac{11}{20})$$

분수와 소수가 섞인 혼합 계산 (2)

여러 개의 분수와 소수가 섞여 있는 혼합 계산을 알아봅시다.

$(0.15 + 2\frac{1}{2} \times 0.3) - \frac{3}{8} \div \frac{3}{4}$

$= (0.15 + \boxed{2.5} \times 0.3) - \frac{3}{8} \times \frac{\boxed{4}}{3}$ (분수 2½을 소수로 바꾸기)

$= (0.15 + \boxed{0.75}) - \frac{1}{2}$ (분수 ⅓을 소수로 고치기)

$= \boxed{0.9} - \boxed{0.5}$

$= \boxed{0.4}$

계산 과정 중에 소수나 분수를 각각 계산하기 편리한 형태로 고친 후, 혼합 계산의 순서에 따라 계산합니다.

$1.2 \times \frac{2}{5} \div (1.3 - \frac{1}{2})$
$= 1.2 \times \boxed{0.4} \div (1.3 - \boxed{0.5})$
$= \boxed{0.48} \div \boxed{0.8}$
$= \boxed{0.6}$

$\frac{3}{4} \div 1.5 + 1\frac{1}{8} \times 0.8 + \frac{1}{2}$
$= \frac{3}{4} \div \frac{15}{10} + \frac{9}{8} \times \frac{8}{10} + \frac{1}{2}$
$= \frac{3}{4} \times \frac{10}{15} + \frac{9}{10} + \frac{1}{2}$
$= \frac{1}{2} + \frac{9}{10} + \frac{1}{2}$
$= 1\frac{9}{10}$

$1\frac{1}{5} \times (0.8 + 1\frac{1}{5}) \div 0.6 = 4$

$1.8 \times 1\frac{1}{9} - 2\frac{2}{3} \div 4.8 = 1\frac{4}{9}$

$1.4 + \frac{2}{3} \times 4 \div 0.5 - 1\frac{2}{15}$
$= 5\frac{3}{5}(= 5.6)$

$(\frac{7}{10} + 1.1) \times 3.5 \div 1\frac{2}{5} - 2.8$
$= 1.7(= 1\frac{7}{10})$

$2\frac{1}{4} \times 2 + 1\frac{2}{5} \div 0.4 - 0.7$
$= 7.3(= 7\frac{3}{10})$

$2 - 1\frac{2}{3} \times 0.75 \div (6.9 - 2\frac{2}{5})$
$= 1\frac{13}{18}$

$1.6 \div (\frac{1}{2} - \frac{1}{5}) \times 0.4 - \frac{4}{5} = 1\frac{1}{3}$

$\frac{2}{15} \times 0.6 + 2\frac{1}{4} \times 1.8 - 0.7$
$= 3.88(= 3\frac{22}{25})$

$8.2 - 2.42 \div \frac{2}{5} + \frac{1}{4} \times (2\frac{1}{2} - 1.9) = 2.3(= 2\frac{3}{10})$

$(4.2 \div 1\frac{1}{6}) \div (6.4 - 2.8) + 3.2 \div \frac{8}{9} = 4\frac{3}{5}(= 4.6)$

---

1 다음을 계산하세요.

$$4.34 \times \frac{5}{7} + (2.25 - 1\frac{1}{4}) \div 5 - 1\frac{1}{4} = 2.05(= 2\frac{1}{20})$$

$\frac{31}{10}$　　1　　0.2
　3.3
　　2.05

2 규칙에 따라 계산하세요.

가●나=가÷나-나÷가

$1.25 ● \frac{1}{4} = \boxed{4.8}$
$1.25 \div 0.25 - 0.25 \div 1.25 = 5 - 0.2 = 4.8$

$3\frac{1}{2} ● 2.1 = \boxed{1\frac{1}{15}}$
$\frac{7}{2} \div \frac{21}{10} - \frac{21}{10} \div \frac{7}{2} = 1\frac{1}{15}$

가▲나=(가+나)÷가×나

$1\frac{3}{5} ▲ 3.2 = \boxed{9.6}$
$(1.6 + 3.2) \div 1.6 \times 3.2 = 9.6$

$0.75 ▲ \frac{1}{3} = \boxed{\frac{13}{27}}$
$(\frac{3}{4} + \frac{1}{3}) \div \frac{3}{4} \times \frac{1}{3}$
$= \frac{13}{12} \times \frac{4}{3} \times \frac{1}{3} = \frac{13}{27}$

3 □ 안에 알맞은 수를 구하세요.

$1\frac{2}{3} \times (\frac{1}{6} + 1.4 \times \square) = 1\frac{1}{9}$
$(\frac{1}{6} + 1.4 \times \square) = \frac{10}{9} \times \frac{3}{5}$
$1.4 \times \square = \frac{2}{3} - \frac{1}{6}$
$\square = \frac{1}{2} \times \frac{10}{14} = \frac{5}{14}$

$7 - 2\frac{1}{4} \div 0.4 + \frac{2}{5} \times \square = 2.95$
$7 - 6.25 + \frac{2}{5} \times \square = 2.95$
$0.75 + \frac{2}{5} \times \square = 2.95$
$5.5(= 5\frac{1}{2})$
$0.4 \times \square = 2.2$
$\square = 5.5$

4 주어진 사다리꼴의 넓이를 보고 □ 안에 알맞은 수를 구하세요.

1.5 cm / 3 cm² / $\frac{8}{5}$ cm / □ cm

$1\frac{2}{5}$ cm / 2.24 cm² / □ cm / 1.8 cm

$(1.5 + \square) \times \frac{8}{5} \div 2 = 3 \quad 25(= 2\frac{1}{4})$
$(1.5 + \square) \times \frac{8}{5} = 3 \times 2$
$1.5 + \square = 6 \div \frac{8}{5} = 6 \times \frac{5}{8} = \frac{15}{4}$
$\square = \frac{15}{4} - 1.5 = 3.75 - 1.5 = 2.25$

$1.4(= 1\frac{2}{5})$
$(1\frac{2}{5} + 1.8) \times \square \div 2 = 2.24$
$3.2 \times \square = 2.24 \times 2$
$\square = 4.48 \div 3.2 = 1.4$

5 포도는 $3\frac{1}{4}$ kg에 6500원이고, 딸기는 1 kg에 4000원입니다. 포도 1.2 kg과 딸기 2$\frac{3}{5}$ kg을 사려면 얼마를 내야 할까요?

식 $6500 \div 3\frac{1}{4} \times 1.2 + 4000 \times 2\frac{3}{5} = 12800$　답 $\boxed{12800}$ 원

$6500 \div 3.25 \times 1.2 + 4000 \times 2.6 = 2400 + 10400 = 12800$(원)

6 버스가 고속도로를 2시간 40분 동안 289.6 km를 이동하였습니다. 같은 빠르기로 $\frac{1}{3}$ 시간 동안에는 몇 km를 이동할 수 있을까요?

식 $(289.6 \div 2\frac{2}{3}) \times \frac{1}{3} = 36.2$　답 $\boxed{36.2}$ km $(= 36\frac{1}{5})$

5일 형성평가

1 다음 중 계산 결과가 가장 큰 것에 ○표, 가장 작은 것에 △ 하세요.

어떤 수에 1보다 작은 수를 곱하면 어떤 수보다 작아지고, 어떤 수에 1보다 큰 수를 곱하면 어떤 수보다 커집니다.

$(4.3+2.9)×0.5$	$(4.3+2.9)-0.5$	$(4.3+2.9)÷0.5$
3.6	6.7	14.4

$(1.2+2.8)+1.2$	$(1.2+2.8)×1.2$	$(1.2+2.8)÷1.2$
5.2	4.8	3.333……

어떤 수를 1보다 작은 수로 나누면 어떤 수보다 커지고, 어떤 수를 1보다 큰 수로 나누면 어떤 수보다 작아집니다.

2 ☐ 안에 알맞은 수를 쓰세요.

$1\frac{1}{5}$ $\xrightarrow{×\frac{2}{3}}$ $\boxed{\frac{4}{5}}$ $\xrightarrow{÷\frac{8}{15}}$ $1\frac{1}{2}$ $\xrightarrow{+\frac{3}{8}}$ $1\frac{7}{8}$

$\frac{3}{4}$ $\underset{×\frac{9}{16}}{\overset{÷\frac{9}{16}}{\rightleftarrows}}$ $1\frac{1}{3}$ $\underset{+\frac{5}{6}}{\overset{-\frac{5}{6}}{\rightleftarrows}}$ $\boxed{\frac{1}{2}}$ $\underset{÷3\frac{1}{3}}{\overset{×3\frac{1}{3}}{\rightleftarrows}}$ $1\frac{2}{3}$

3 같은 모양은 같은 수를, 다른 모양은 다른 수를 나타낼 때 각 모양이 나타내는 수를 구하세요.

● + ● = 1.8
● × ▲ = 2.25

● = __0.9__ ▲ = __2.5__

■ × ■ = 0.64
◆ - ■ = 2.7

■ = __0.8__ ◆ = __3.5__

4 주희는 어제 책 한 권의 $\frac{1}{3}$ 을 읽었고, 오늘은 어제 읽고 난 나머지의 $\frac{1}{4}$ 을 읽었습니다.

어제와 오늘 읽은 양은 책 전체의 얼마인가요?

$\frac{1}{3}+\frac{2}{3}×\frac{1}{4}=\frac{1}{2}$ __$\frac{1}{2}$__

책 한 권이 200쪽일 때, 어제와 오늘 읽고 난 나머지는 몇 쪽인가요?

$200×\frac{1}{2}=100(쪽)$ __100__ 쪽

5 계산 결과가 나머지와 다른 하나에 ○표 하세요.

$\frac{4}{5}÷0.3×\frac{5}{6}$	$\frac{4}{5}×\frac{10}{3}×\frac{5}{6}$	$(\frac{4}{5}÷\frac{3}{10})×\frac{5}{6}$
$\frac{4}{5}×\frac{5}{6}÷0.3$		$\frac{5}{6}÷\frac{4}{5}×0.3$

$\frac{4}{5}$ 앞에는 × 기호가 있어야 하고, 0.3 앞에는 ÷ 기호가 있어야 합니다.

6 다음을 계산하세요.

$2\frac{5}{8}×\frac{3}{7}÷0.6+2÷1\frac{1}{3}=3\frac{3}{8}$ $(=3.375)$

$1\frac{7}{20}÷(0.5×0.3)-1\frac{1}{2}=7.5$
$=1.35÷0.15-1\frac{1}{2}$ $(=7\frac{1}{2})$
$=9-1.5$
$=7.5$

7 규칙에 따라 계산하세요.

가 ★ 나 = (가+나)÷나×가
가 ◆ 나 = 가-나-나÷가

$5\frac{3}{5}$ ★ 1.4 = __28__
$=(5\frac{3}{5}+1.4)÷1.4×5\frac{3}{5}$
$=7÷1.4×5.6$
$=28$

$5\frac{3}{5}$ ◆ 1.4 = __3.95__
$=5\frac{3}{5}-1.4-1.4÷5\frac{3}{5}$
$=4.2-0.25$
$=3.95$

8 사다리꼴의 높이는 몇 cm인지 구하세요.

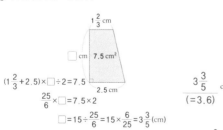

$1\frac{2}{3}$ cm
☐ cm 7.5 cm²
2.5 cm

$(1\frac{2}{3}+2.5)×☐÷2=7.5$
$\frac{25}{6}×☐=7.5×2$
$☐=15÷\frac{25}{6}=15×\frac{6}{25}=3\frac{3}{5}(cm)$

__$3\frac{3}{5}$__ cm $(=3.6)$

9 동현이는 1시간 20분 동안 걸어서 3.6 km를 이동하였습니다. 같은 빠르기로 걷는다면 $2\frac{2}{3}$ 시간 동안에는 몇 km를 이동할 수 있을까요?

식 $(3.6÷1\frac{1}{3})×2\frac{2}{3}=7.2$

답 __7.2__ km $(=7\frac{1}{5})$

간편하게 계산하기

445 간편하게 계산하기-소수(1)

괄호를 이용하여 식을 간편하게 계산하는 방법을 알아봅시다.

$2.25 \times 0.16 + 0.225 \times 1.4$
$= 2.25 \times 0.16 + 2.25 \times \boxed{0.14}$
$= 2.25 \times (0.16 + \boxed{0.14})$
$= 2.25 \times \boxed{0.3}$
$= \boxed{0.675}$

같은 수를 곱하거나 같은 수로 나누는 경우 같은 수로 묶어 식을 간단히 한 후 계산합니다.

$(25.2 - 0.48) \div 1.2$
$= 25.2 \div 1.2 - 0.48 \div 1.2$
$= \boxed{21} \boxed{-} \boxed{0.4}$
$= \boxed{20.6}$

괄호 안의 계산이 복잡한 경우 괄호를 풀어 식을 밖의 수와 먼저 계산한 후 계산합니다.

$4.5 \times 37 + 45 \times 2.3$
$= 4.5 \times 37 + 4.5 \times \boxed{23}$
$= 4.5 \times (37 + \boxed{23})$
$= 4.5 \times \boxed{60}$
$= \boxed{270}$

$(7.77 + 5.6) \div 0.7$
$= 7.77 \div \boxed{0.7} + 5.6 \div \boxed{0.7}$
$= \boxed{11.1} + \boxed{8}$
$= \boxed{19.1}$

$3.83 \times 1.2 \div 0.12$
$= 3.83 \times (1.2 \div 0.12)$
$= 3.83 \times \boxed{10}$
$= \boxed{38.3}$

$1.96 \div 1.4 \div 0.7$
$= 1.96 \div (1.4 \times 0.7)$
$= 1.96 \div \boxed{0.98}$
$= \boxed{2}$

9.9×88
$= (10 - \boxed{0.1}) \times 88$
$= 10 \times 88 - \boxed{0.1} \times 88$
$= \boxed{880} \boxed{-} \boxed{8.8}$
$= \boxed{871.2}$

$1.2 \times 1.6 + 2.4 \times 1.7$
$= 1.2 \times (1.6 + \boxed{2} \times 1.7)$
$= 1.2 \times (1.6 + \boxed{3.4})$
$= 1.2 \times \boxed{5}$
$= \boxed{6}$

$99 \times 73.2 + 73.2 = 7320$
$= (99 + 1) \times 73.2$
$= 100 \times 73.2$
$= 7320$

$23 \times 1.05 + 3.7 \times 10.5 = 63$
$= 2.3 \times 10.5 + 3.7 \times 10.5$
$= (2.3 + 3.7) \times 10.5$
$= 6 \times 10.5 = 63$

$0.32 \times 7.4 + 3.2 \times 0.16 = 2.88$
$= 3.2 \times 0.74 + 3.2 \times 0.16$
$= 3.2 \times (0.74 + 0.16)$
$= 3.2 \times 0.9 = 2.88$

$(1.7 - 0.34 + 51) \div 1.7 = 30.8$
$= 1.7 \div 1.7 - 0.34 \div 1.7 + 51 \div 1.7$
$= 1 - 0.2 + 30$
$= 30.8$

$4.7 \times 9.99 = 46.953$
$= 4.7 \times (10 - 0.01)$
$= 47 - 0.047$
$= 46.953$

$86.45 \div 3.625 \times 36.25$
$\qquad = 864.5$
$= 86.45 \times (36.25 \div 3.625)$
$= 86.45 \times 10$
$= 864.5$

$1.4 \times 0.32 + 2.8 \times 0.34 = 1.4$
$= 1.4 \times (0.32 + 2 \times 0.34)$
$= 1.4 \times (0.32 + 0.68)$
$= 1.4 \times 1 = 1.4$

$(4.69 \times 2.4 + 53.1 \times 0.24) \div 2.4$
$\qquad = 10$
$= 4.69 \times 2.4 \div 2.4 + 53.1 \times 0.24 \div 2.4$
$= 4.69 \times 1 + 53.1 \times 0.1$
$= 4.69 + 5.31 = 10$

응용연산

1 ○안에 >, =, <를 알맞게 넣으세요.

$(3.4 + 2.5) \times 1.8$ ⊙> $3.2 \times 1.8 + 2.5 \times 1.8$
$= \underline{3.4 \times 1.8} + 2.5 \times 1.8$

$5.6 \times 6.1 - 5.9 \times 3.7$ ⊙< $5.6 \times (6.1 - 3.7)$
$\qquad\qquad\qquad = 5.6 \times 6.1 - 5.6 \times 3.7$

$(22.8 + 9.12) \div 2.4$ ⊙< $22.8 \div 2.4 + 9.36 \div 2.4$
$= 22.8 \div 2.4 + \underline{9.12 \div 2.4}$

$4.5 \times 3.9 + 3.8 \times 4.5$ ⊙> 6.9×4.5
$= (3.9 + 3.8) \times 4.5$
$= \underline{7.7 \times 4.5}$

2 같은 모양은 같은 수를 나타낼 때 ●와 ▲ 모양이 나타내는 수를 구하세요.

$0.1 \times ● + 0.2 \times ● + 0.3 \times ● + \cdots\cdots + 0.9 \times ● = 0.9$
$(0.1 + 0.2 + 0.3 + \cdots\cdots + 0.9) \times ● = 0.9$
$\qquad\qquad 4.5 \times ● = 0.9$
$\qquad\qquad\qquad ● = 0.2$

● $= \underline{0.2}$

$0.5 \times ▲ + 0.7 \times ▲ + 0.9 \times ▲ + 1.1 \times ▲ + 1.3 \times ▲ + 1.5 \times ▲ = 8.4$
$(0.5 + 0.7 + 0.9 + 1.1 + 1.3 + 1.5) \times ▲ = 8.4$
$\qquad\qquad\qquad 6 \times ▲ = 8.4$
$\qquad\qquad\qquad\qquad ▲ = 1.4$

▲ $= \underline{1.4}$

3 다음을 계산하세요.

$24.7 \times 0.132 + 1.53 \times 1.32 = 5.28$
$= 2.47 \times 1.32 + 1.53 \times 1.32$
$= (2.47 + 1.53) \times 1.32$
$= 4 \times 1.32 = 5.28$

$1220 \times 121.9 - 1219 \times 121.5 = 609.5$
$= 122 \times 1219 - 1219 \times 121.5$
$= 1219 \times (122 - 121.5)$
$= 1219 \times 0.5 = 609.5$

$5.2 \times 2.25 + 0.225 \times 1.6 + 464 \times 0.0225 = 22.5$
$= 52 \times 0.225 + 0.225 \times 1.6 + 46.4 \times 0.225$
$= 0.225 \times (52 + 1.6 + 46.4)$
$= 0.225 \times 100 = 22.5$

4 친구들이 생각하는 방법에 따라 주어진 식을 계산해 보세요.

 자연수 부분이랑 소수 부분을 따로 계산하니까

$1.125 + 2.125 + 3.125 + \cdots\cdots + 10.125 = 56.25$
$= (1 + 2 + 3 + \cdots\cdots + 10) + 0.125 \times 10 = 55 + 1.25 = 56.25$

 10, 100, 1000 ……을 기준으로 식을 다시 세워 계산해 봐야지

$9.6 + 99.6 + 999.6 + 9999.6 + 99999.6 = 111108$
$= (10 - 0.4) + (100 - 0.4) + (1000 - 0.4) + (10000 - 0.4) + (100000 - 0.4)$
$= (10 + 100 + 1000 + 10000 + 100000) - 0.4 \times 5$
$= 111110 - 2 = 111108$

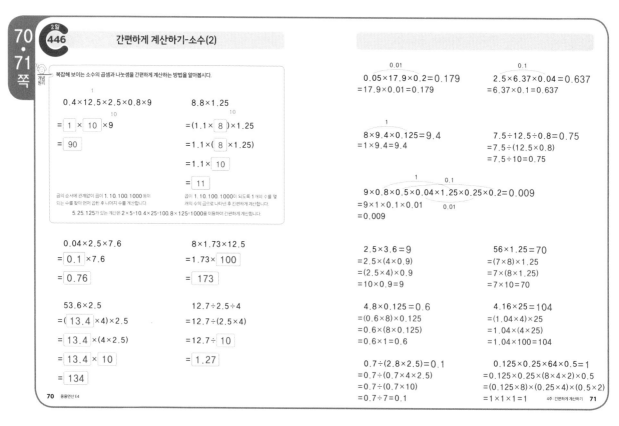

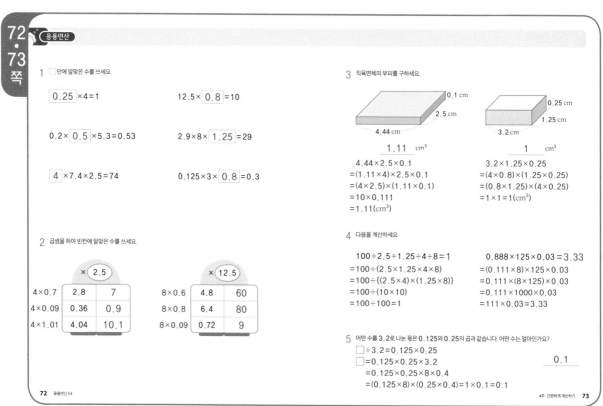

447 간편하게 계산하기-분수(1)

여러 개의 분수로 이루어진 식을 간편한 방법으로 계산해 봅시다.

$$\left(\frac{1}{2}-\frac{1}{4}\right)+\left(\frac{1}{4}-\frac{1}{6}\right)+\left(\frac{1}{6}-\frac{1}{8}\right)$$
$$=\frac{1}{2}-\frac{1}{4}+\frac{1}{4}-\frac{1}{6}+\frac{1}{6}-\frac{1}{8}$$
$$=\frac{1}{2}-\boxed{\frac{1}{8}}=\boxed{\frac{3}{8}}$$

$$\left(1+\frac{1}{2}\right)\times\left(1+\frac{1}{3}\right)\times\left(1+\frac{1}{4}\right)$$
$$=\boxed{\frac{3}{2}}\times\boxed{\frac{4}{3}}\times\boxed{\frac{5}{4}}$$
$$=\boxed{\frac{5}{2}}=2\boxed{\frac{1}{2}}$$

계산 결과가 0.1과 같은 수가 되도록 식을 변형하여 간편하게 계산합니다.

$$1-\left(\frac{1}{3}-\frac{1}{6}\right)-\left(\frac{1}{6}-\frac{1}{9}\right)-\left(\frac{1}{9}-\frac{1}{12}\right)$$
$$=1-\frac{1}{3}+\frac{1}{6}-\frac{1}{6}+\frac{1}{9}-\frac{1}{9}+\frac{1}{12}$$
$$=1-\frac{1}{3}+\frac{1}{12}=\boxed{\frac{9}{12}}=\boxed{\frac{3}{4}}$$

$$\left(1-\frac{1}{5}\right)\times\left(1-\frac{1}{6}\right)+\left(1-\frac{1}{7}\right)$$
$$=\frac{4}{5}\times\frac{5}{6}\times\frac{6}{7}$$
$$=\frac{4}{7}$$

$$\left(\frac{1}{2}-\frac{1}{3}\right)+\left(\frac{1}{3}-\frac{1}{4}\right)+\left(\frac{1}{4}-\frac{1}{5}\right)+\left(\frac{1}{5}-\frac{1}{6}\right)=\frac{1}{3}$$
$$=\frac{1}{2}-\frac{1}{6}=\frac{2}{6}=\frac{1}{3}$$

$$1\div\frac{1}{2}\div\frac{2}{3}\div\frac{3}{4}\div\frac{4}{5}\div\frac{5}{6}\div\frac{6}{7}\div\frac{7}{8}\div\frac{8}{9}=9$$
$$=1\div\frac{1}{9}=9$$

$$1\frac{1}{5}\times1\frac{1}{6}\times1\frac{1}{7}\times1\frac{1}{8}\times1\frac{1}{9}\times1\frac{1}{10}\times1\frac{1}{11}=2\frac{2}{5}$$
$$=\frac{6}{5}\times\frac{7}{6}\times\frac{8}{7}\times\frac{9}{8}\times\frac{10}{9}\times\frac{11}{10}\times\frac{12}{11}=\frac{12}{5}=2\frac{2}{5}$$

$$\left(\frac{4}{7}\times2\frac{2}{9}\times\frac{6}{11}\right)\div\left(\frac{2}{7}\times\frac{2}{9}\times\frac{5}{11}\right)=24$$
$$=\left(\frac{4}{7}\div\frac{2}{7}\right)\times\left(\frac{20}{9}\div\frac{5}{9}\right)\times\left(\frac{6}{11}\div\frac{2}{11}\right)=2\times4\times3=24$$

$$\left(1+\frac{1}{2}\right)\times\left(1-\frac{1}{2}\right)\times\left(1+\frac{1}{3}\right)\times\left(1-\frac{1}{3}\right)\times\left(1+\frac{1}{4}\right)\times\left(1-\frac{1}{4}\right)=\frac{5}{8}$$
$$=\left(1+\frac{1}{2}\right)\times\left(1+\frac{1}{3}\right)\times\left(1+\frac{1}{4}\right)\times\left(1-\frac{1}{2}\right)\times\left(1-\frac{1}{3}\right)\times\left(1-\frac{1}{4}\right)$$
$$=\frac{3}{2}\times\frac{4}{3}\times\frac{5}{4}\times\frac{1}{2}\times\frac{2}{3}\times\frac{3}{4}=\frac{5}{8}$$

$$\left(1+\frac{2}{3}\right)\times\left(1+\frac{2}{4}\right)\times\left(1+\frac{2}{5}\right)\times\left(1+\frac{2}{6}\right)\times\left(1+\frac{2}{7}\right)\times\left(1+\frac{2}{8}\right)=7\frac{1}{2}$$
$$=\frac{5}{3}\times\frac{6}{4}\times\frac{7}{5}\times\frac{8}{6}\times\frac{9}{7}\times\frac{10}{8}=\frac{90}{12}=7\frac{1}{2}$$

응용연산

1 곱해서 1이 되는 것끼리 선으로 이으세요.

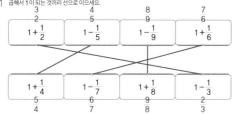

$\frac{3}{2}$	$\frac{4}{5}$	$\frac{8}{9}$	$\frac{7}{6}$
$1+\frac{1}{2}$	$1-\frac{1}{5}$	$1-\frac{1}{9}$	$1+\frac{1}{6}$

$1+\frac{1}{4}$	$1-\frac{1}{7}$	$1+\frac{1}{8}$	$1-\frac{1}{3}$
$\frac{5}{4}$	$\frac{6}{7}$	$\frac{9}{8}$	$\frac{2}{3}$

2 다음을 계산하세요.

$$9\frac{1}{4}\times5\frac{1}{3}\div8\frac{4}{5}\div5\frac{1}{3}\times8\frac{4}{5}\div9\frac{1}{4}=1$$
$$=\left(9\frac{1}{4}\div9\frac{1}{4}\right)\times\left(5\frac{1}{3}\div5\frac{1}{3}\right)\times\left(8\frac{4}{5}\div8\frac{4}{5}\right)=1\times1\times1=1$$

$$\left(1+\frac{1}{2}\right)\times\left(1+\frac{1}{4}\right)\times\left(1+\frac{1}{6}\right)\times\left(1+\frac{1}{3}\right)\times\left(1+\frac{1}{5}\right)\times\left(1+\frac{1}{7}\right)=4$$
$$=\frac{3}{2}\times\frac{5}{4}\times\frac{7}{6}\times\frac{4}{3}\times\frac{6}{5}\times\frac{8}{7}=4$$

$$1\frac{13}{14}\times\left\{\left(\frac{2}{45}+\frac{4}{45}+\frac{6}{45}+\frac{8}{45}+\frac{10}{45}\right)-\left(\frac{1}{45}+\frac{3}{45}+\frac{5}{45}+\frac{7}{45}+\frac{9}{45}\right)\right\}=\frac{3}{14}$$
$$=\frac{27}{14}\times\left\{\left(\frac{2}{45}-\frac{1}{45}\right)+\left(\frac{4}{45}-\frac{3}{45}\right)+\left(\frac{6}{45}-\frac{5}{45}\right)+\left(\frac{8}{45}-\frac{7}{45}\right)+\left(\frac{10}{45}-\frac{9}{45}\right)\right\}$$
$$=\frac{27}{14}\times\left(\frac{1}{45}+\frac{1}{45}+\frac{1}{45}+\frac{1}{45}+\frac{1}{45}\right)=\frac{27}{14}\times\frac{5}{45}=\frac{3}{14}$$

3 다음을 계산하세요.

$$\left(1+\frac{1}{2}\right)\times\left(1-\frac{1}{2}\right)\times\left(1+\frac{1}{3}\right)\times\left(1-\frac{1}{3}\right)\times\cdots\cdots\times\left(1+\frac{1}{9}\right)\times\left(1-\frac{1}{9}\right)=\frac{5}{9}$$
$$=\left\{\left(1+\frac{1}{2}\right)\times\left(1+\frac{1}{3}\right)\times\cdots\cdots\times\left(1+\frac{1}{9}\right)\right\}\left\{\left(1-\frac{1}{2}\right)\times\left(1-\frac{1}{3}\right)\times\cdots\cdots\times\left(1-\frac{1}{9}\right)\right\}$$
$$=\frac{3}{2}\times\frac{4}{3}\times\frac{5}{4}\times\cdots\cdots\times\frac{9}{8}\times\frac{10}{9}\times\frac{1}{2}\times\frac{2}{3}\times\frac{3}{4}\times\cdots\cdots\times\frac{7}{8}\times\frac{8}{9}=\frac{10}{2}\times\frac{1}{9}=\frac{5}{9}$$

$$\left(1+\frac{3}{4}\right)\times\left(1+\frac{3}{5}\right)\times\left(1+\frac{3}{6}\right)\times\cdots\cdots\times\left(1+\frac{3}{10}\right)\times\left(1+\frac{3}{11}\right)\times\left(1+\frac{3}{12}\right)$$
$$=\frac{7}{4}\times\frac{8}{5}\times\frac{9}{6}\times\frac{10}{7}\times\frac{11}{8}\times\frac{12}{9}\times\frac{13}{10}\times\frac{14}{11}\times\frac{15}{12}\qquad\qquad=22\frac{3}{4}$$
$$=\frac{13\times14\times15}{4\times5\times6}=\frac{91}{4}=22\frac{3}{4}$$

4 형주는 6000원을 가지고 있습니다. 처음 금액의 $\frac{1}{3}$로 공책을 사고, 남은 금액의 $\frac{1}{4}$로 연필을 산 후, 나머지의 $\frac{1}{5}$로 아이스크림을 사먹었습니다. 남은 금액은 얼마일까요?

공책을 사고 남은 금액을 식으로 나타내면 다음과 같습니다.

식 $6000\times\left(1-\frac{1}{3}\right)$

공책을 사고, 연필을 사고 남은 금액을 식으로 나타내세요.

식 $6000\times\left(1-\frac{1}{3}\right)\times\left(1-\frac{1}{4}\right)$

공책을 사고, 연필을 사고, 아이스크림을 사고 남은 금액을 식으로 나타내고 남은 금액을 구하세요.

식 $6000\times\left(1-\frac{1}{3}\right)\times\left(1-\frac{1}{4}\right)\times\left(1-\frac{1}{5}\right)=2400$ **답** 2400 원
$$=6000\times\left(\frac{2}{3}\times\frac{3}{4}\times\frac{4}{5}\right)$$
$$=6000\times\frac{2}{5}=2400$$

정답 및 해설 **19**

78·79쪽

C 4일 448 간편하게 계산하기-분수(2)

개념원리

두 수의 곱과 두 수의 합 또는 차로 이루어진 분수를 두 분수의 합과 차로 나타내어 봅시다.

$$\frac{3+2}{3\times2}\cdot\frac{5}{6}=\frac{3+\boxed{2}}{3\times\boxed{2}}=\frac{\boxed{3}}{3\times\boxed{2}}+\frac{\boxed{2}}{3\times\boxed{2}}=\frac{1}{\boxed{2}}+\frac{1}{\boxed{3}}$$

분모는 두 수의 곱으로, 분자는 두 수의 합으로 이루어진 1개의 분수를 2개의 분수의 합으로 나타낼 수 있습니다.

$$\frac{5-3}{5\times3}\cdot\frac{2}{15}=\frac{5-\boxed{3}}{5\times\boxed{3}}=\frac{\boxed{5}}{5\times\boxed{3}}-\frac{\boxed{3}}{5\times\boxed{3}}=\frac{1}{\boxed{3}}-\frac{1}{\boxed{5}}$$

분모는 두 수의 곱으로, 분자는 두 수의 차로 이루어진 1개의 분수를 2개의 분수의 차로 나타낼 수 있습니다.

$$\frac{1}{6}=\frac{3-\boxed{2}}{3\times\boxed{2}}=\frac{\boxed{3}}{3\times\boxed{2}}-\frac{\boxed{2}}{3\times\boxed{2}}=\frac{1}{\boxed{2}}-\frac{1}{3}$$

$$\frac{7}{12}=\frac{4+\boxed{3}}{4\times\boxed{3}}=\frac{\boxed{4}}{4\times\boxed{3}}+\frac{\boxed{3}}{4\times\boxed{3}}=\frac{1}{\boxed{3}}+\frac{1}{4}$$

$$\frac{1}{20}=\frac{5-\boxed{4}}{5\times\boxed{4}}=\frac{\boxed{5}}{5\times\boxed{4}}-\frac{\boxed{4}}{5\times\boxed{4}}=\frac{1}{\boxed{4}}-\frac{1}{5}$$

1개의 분수를 2개의 분수로 나타내어 주어진 식을 간편하게 계산하세요.

$$\frac{1}{12}+\frac{1}{20}+\frac{1}{30}$$
$$=\left(\frac{1}{3}-\frac{1}{4}\right)+\left(\frac{1}{4}-\frac{1}{5}\right)+\left(\frac{1}{5}-\frac{1}{6}\right)$$
$$=\frac{1}{3}-\frac{1}{6}=\frac{1}{\boxed{6}}$$

$$\frac{1}{2}+\frac{1}{6}+\frac{1}{12}=\left(1-\frac{1}{2}\right)+\left(\frac{1}{\boxed{2}}-\frac{1}{3}\right)+\left(\frac{1}{\boxed{3}}-\frac{1}{4}\right)=1-\frac{1}{4}=\frac{\boxed{3}}{\boxed{4}}$$

$$\frac{5}{6}-\frac{7}{12}+\frac{9}{20}=\left(\frac{1}{2}+\frac{1}{3}\right)-\left(\frac{1}{\boxed{3}}+\frac{1}{4}\right)+\left(\frac{1}{\boxed{4}}+\frac{1}{5}\right)=\frac{1}{2}+\frac{1}{5}=\frac{\boxed{7}}{\boxed{10}}$$

$$\frac{2}{3}+\frac{2}{15}+\frac{2}{35}=\left(1-\frac{1}{3}\right)+\left(\frac{1}{\boxed{3}}-\frac{1}{5}\right)+\left(\frac{1}{\boxed{5}}-\frac{1}{7}\right)=1-\frac{1}{7}=\frac{\boxed{6}}{\boxed{7}}$$

$$\frac{1}{30}+\frac{1}{42}+\frac{1}{56}=\left(\frac{1}{5}-\frac{1}{6}\right)+\left(\frac{1}{\boxed{6}}-\frac{1}{7}\right)+\left(\frac{1}{\boxed{7}}-\frac{1}{8}\right)=\frac{1}{5}-\frac{1}{8}=\frac{\boxed{3}}{\boxed{40}}$$

80·81쪽

응용연산

1 왼쪽 분수를 두 분수의 합 또는 차로 알맞게 나타낸 것에 ○표 하세요.

$$\frac{5}{36} \quad \frac{1}{9}+\frac{1}{4} \quad \frac{5}{6}-\frac{23}{36} \quad \boxed{\frac{1}{4}-\frac{1}{9}}$$

$$\frac{13}{42} \quad \frac{5}{6}-\frac{5}{7} \quad \boxed{\frac{1}{6}+\frac{1}{7}} \quad \frac{5}{12}-\frac{5}{8}$$

$$\frac{3}{88} \quad \frac{1}{12}-\frac{1}{9} \quad \frac{3}{11}-\frac{3}{8} \quad \boxed{\frac{1}{8}-\frac{1}{11}}$$

2 다음을 계산하세요.

$$\frac{8}{15}-\frac{12}{35}+\frac{16}{63}=\frac{4}{9}$$
$$=\left(\frac{1}{3}+\frac{1}{5}\right)-\left(\frac{1}{5}+\frac{1}{7}\right)+\left(\frac{1}{7}+\frac{1}{9}\right)$$
$$=\frac{1}{3}+\frac{1}{9}=\frac{4}{9}$$

$$1\frac{1}{20}+2\frac{1}{30}+3\frac{1}{42}+4\frac{1}{56}+5\frac{1}{72}+6\frac{1}{90}=21\frac{3}{20}$$
$$=(1+2+3+4+5+6)+\left(\frac{1}{20}+\frac{1}{30}+\frac{1}{42}+\frac{1}{56}+\frac{1}{72}+\frac{1}{90}\right)$$
$$=21+\left\{\left(\frac{1}{4}-\frac{1}{5}\right)+\left(\frac{1}{5}-\frac{1}{6}\right)+\cdots+\left(\frac{1}{9}-\frac{1}{10}\right)\right\}$$
$$=21+\left(\frac{1}{4}-\frac{1}{10}\right)=21+\frac{3}{20}=21\frac{3}{20}$$

$$\frac{11}{30}-\frac{9}{20}+\frac{7}{12}-\frac{5}{6}+\frac{1}{2}=\frac{1}{6}$$
$$=\left(\frac{1}{5}+\frac{1}{6}\right)-\left(\frac{1}{4}+\frac{1}{5}\right)+\left(\frac{1}{3}+\frac{1}{4}\right)-\left(\frac{1}{2}+\frac{1}{3}\right)+\frac{1}{2}$$
$$=\frac{1}{6}$$

3 다음 설명에 따라 주어진 식을 계산해 보세요.

① 분모가 두 수의 곱, 분자가 두 수의 합으로 이루어진 분수를 모두 찾아 두 분수의 합으로 나타냅니다.
② 분모가 같은 분수끼리 더합니다.

$$\frac{1}{3}+\frac{3}{4}+\frac{3}{5}+\frac{5}{7}+\frac{7}{8}+\frac{9}{20}+\frac{10}{21}+\frac{11}{24}+\frac{12}{35}=5$$
$$=\frac{1}{3}+\frac{3}{4}+\frac{3}{5}+\frac{5}{7}+\frac{7}{8}+\left(\frac{1}{4}+\frac{1}{5}\right)+\left(\frac{1}{3}+\frac{1}{7}\right)+\left(\frac{1}{3}+\frac{1}{8}\right)+\left(\frac{1}{5}+\frac{1}{7}\right)$$
$$=\left(\frac{1}{3}+\frac{1}{3}+\frac{1}{3}\right)+\left(\frac{3}{4}+\frac{1}{4}\right)+\left(\frac{3}{5}+\frac{1}{5}+\frac{1}{5}\right)+\left(\frac{5}{7}+\frac{1}{7}+\frac{1}{7}\right)+\left(\frac{7}{8}+\frac{1}{8}\right)=5$$

4 다음과 같이 간편하게 계산해 보세요.

$$\frac{1}{1\times3}+\frac{1}{3\times5}+\frac{1}{5\times7}=\frac{1}{2}\times\left(1-\frac{1}{3}\right)+\frac{1}{2}\times\left(\frac{1}{3}-\frac{1}{5}\right)+\frac{1}{2}\times\left(\frac{1}{5}-\frac{1}{7}\right)$$
$$=\frac{1}{2}\times\left(1-\frac{1}{3}+\frac{1}{3}-\frac{1}{5}+\frac{1}{5}-\frac{1}{7}\right)=\frac{1}{2}\times\left(1-\frac{1}{7}\right)=\frac{3}{7}$$

$$\frac{1}{2\times4}+\frac{1}{4\times6}+\frac{1}{6\times8}+\frac{1}{8\times10}=\frac{1}{5}$$
$$=\frac{1}{2}\times\left(\frac{1}{2}-\frac{1}{4}\right)+\frac{1}{2}\times\left(\frac{1}{4}-\frac{1}{6}\right)+\frac{1}{2}\times\left(\frac{1}{6}-\frac{1}{8}\right)+\frac{1}{2}\times\left(\frac{1}{8}-\frac{1}{10}\right)$$
$$=\frac{1}{2}\times\left(\frac{1}{2}-\frac{1}{4}+\frac{1}{4}-\frac{1}{6}+\frac{1}{6}-\frac{1}{8}+\frac{1}{8}-\frac{1}{10}\right)=\frac{1}{2}\times\left(\frac{1}{2}-\frac{1}{10}\right)=\frac{1}{5}$$

$$\frac{1}{3\times6}+\frac{1}{6\times9}+\frac{1}{9\times12}+\cdots+\frac{1}{27\times30}=\frac{1}{10}$$
$$=\frac{1}{3}\times\left(\frac{1}{3}-\frac{1}{6}\right)+\frac{1}{3}\times\left(\frac{1}{6}-\frac{1}{9}\right)+\frac{1}{3}\times\left(\frac{1}{9}-\frac{1}{12}\right)+\cdots+\frac{1}{3}\times\left(\frac{1}{27}-\frac{1}{30}\right)$$
$$=\frac{1}{3}\times\left(\frac{1}{3}-\frac{1}{6}+\frac{1}{6}-\frac{1}{9}+\frac{1}{9}-\frac{1}{12}+\cdots+\frac{1}{27}-\frac{1}{30}\right)=\frac{1}{3}\times\left(\frac{1}{3}-\frac{1}{30}\right)=\frac{1}{10}$$

5일 😊 **형성평가**

1 ◯ 안에 >, =, <를 알맞게 넣으세요.

$2.5 \times (1.3 + 4.4)$ $<$ $2.5 \times 1.6 + 2.5 \times 4.4$
$= \underline{2.5 \times 1.3} + 2.5 \times 4.4$

$0.7 \times 5.8 - \underline{0.7 \times 1.5}$ $>$ $0.7 \times (5.8 - 1.9)$
$= 0.7 \times 5.8 - \underline{0.7 \times 1.9}$

$(5.04 + 10.44) \div 3.6$ $>$ $5.04 \div 3.6 + 8.82 \div 3.6$
$= 5.04 \div 3.6 + \underline{10.44 \div 3.6}$

$6.7 \times 1.9 + 1.9 \times 2.3$ $>$ $1.9 \times \underline{8.9}$
$= 1.9 \times (6.7 + 2.3)$
$= 1.9 \times \underline{9}$

2 곱셈을 하여 빈칸에 알맞은 수를 쓰세요.

× 2.5

4×0.3	1.2	3
4×0.06	0.24	0.6
4×1.22	4.88	12.2

× 1.25

8×0.4	3.2	4
8×0.07	0.56	0.7
8×1.12	8.96	11.2

3 다음 소수의 계산을 하세요.

$2.5 \times 1.25 \times 32 = 100$
$= 2.5 \times 1.25 \times 4 \times 8$
$= (2.5 \times 4) \times (1.25 \times 8)$
$= 10 \times 10 = 100$

$99.9 \times 77.7 = 7762.23$
$= (100 - 0.1) \times 77.7$
$= 7770 - 7.77$
$= 7762.23$

$123.123 \div 1.23 \times 12.3 = 1231.23$
$= 123.123 \times (12.3 \div 1.23)$
$= 123.123 \times 10$
$= 1231.23$

4 다음 분수의 계산을 하세요.

$1 - (\frac{1}{4} - \frac{1}{8}) - (\frac{1}{8} - \frac{1}{16}) - (\frac{1}{16} - \frac{1}{32}) - (\frac{1}{32} - \frac{1}{64}) = \frac{49}{64}$
$= 1 - \frac{1}{4} + \frac{1}{64} = 1 - \frac{16}{64} + \frac{1}{64} = \frac{49}{64}$

$(1 + \frac{1}{2}) \times (1 + \frac{1}{4}) \times (1 + \frac{1}{6}) \times (1 - \frac{1}{3}) \times (1 - \frac{1}{5}) \times (1 - \frac{1}{7}) = 1$
$= \frac{3}{2} \times \frac{5}{4} \times \frac{7}{6} \times \frac{2}{3} \times \frac{4}{5} \times \frac{6}{7} = 1$

$1\frac{1}{2} \times 1\frac{1}{3} \times 1\frac{1}{4} \times \cdots \cdots \times 1\frac{1}{20} = 10\frac{1}{2}$
$= \frac{3}{2} \times \frac{4}{3} \times \frac{5}{4} \times \frac{6}{5} \times \frac{7}{6} \times \cdots \cdots \times \frac{20}{19} \times \frac{21}{20} = \frac{21}{2} = 10\frac{1}{2}$

$(1 + \frac{3}{4}) \times (1 + \frac{3}{5}) \times (1 + \frac{3}{6}) \times \cdots \cdots \times (1 + \frac{3}{9}) = 11$
$= \frac{7}{4} \times \frac{8}{5} \times \frac{9}{6} \times \frac{10}{7} \times \frac{11}{8} \times \frac{12}{9} = \frac{10 \times 11 \times 12}{4 \times 5 \times 6} = 11$

5 정우는 학용품을 사기 위해 어머니께 10000원을 받았습니다. 처음 받은 금액의 $\frac{1}{2}$ 로 필통을 사고, 남은 금액의 $\frac{1}{3}$ 로 색연필을 산 후, 나머지의 $\frac{1}{4}$ 로 지우개를 샀습니다. 남은 금액은 얼마일까요?

필통을 사고 남은 금액을 식으로 나타내면 다음과 같습니다.

식 $10000 \times (1 - \frac{1}{2})$

필통을 사고, 색연필을 사고 남은 금액을 식으로 나타내세요.

식 $10000 \times (1 - \frac{1}{2}) \times (1 - \frac{1}{3})$

필통을 사고, 색연필을 사고, 지우개를 사고 남은 금액을 식으로 나타내고 남은 금액을 구하세요.

식 $10000 \times (1 - \frac{1}{2}) \times (1 - \frac{1}{3}) \times (1 - \frac{1}{4}) = 2500$ 답 2500 원
$= 10000 \times \frac{1}{2} \times \frac{2}{3} \times \frac{3}{4} = 2500$

6 다음을 계산하세요.

$\frac{1}{1 \times 2} + \frac{1}{2 \times 3} + \frac{1}{3 \times 4} + \frac{1}{4 \times 5} + \cdots \cdots + \frac{1}{9 \times 10} = \frac{9}{10}$
$= (1 - \frac{1}{2}) + (\frac{1}{2} - \frac{1}{3}) + (\frac{1}{3} - \frac{1}{4}) + \cdots \cdots + (\frac{1}{9} - \frac{1}{10}) = 1 - \frac{1}{10} = \frac{9}{10}$

$\frac{1}{2} - \frac{1}{6} - \frac{1}{12} - \frac{1}{20} - \frac{1}{30} - \frac{1}{42} = \frac{1}{7}$
$= \frac{1}{2} - (\frac{1}{2} - \frac{1}{3}) - (\frac{1}{3} - \frac{1}{4}) - \cdots \cdots - (\frac{1}{6} - \frac{1}{7}) = \frac{1}{7}$

$1 - \frac{5}{6} + \frac{7}{12} - \frac{9}{20} + \frac{11}{30} - \frac{13}{42} + \frac{15}{56} - \frac{17}{72} + \frac{19}{90} = \frac{3}{5}$
$= 1 - (\frac{1}{2} + \frac{1}{3}) + (\frac{1}{3} + \frac{1}{4}) - (\frac{1}{4} + \frac{1}{5}) + \cdots \cdots + (\frac{1}{9} + \frac{1}{10}) = 1 - \frac{1}{2} + \frac{1}{10} = \frac{3}{5}$

Memo

Numbers rule the universe.

"수가 우주를 지배한다"

Pythagoras, 피타고라스